愛蔵版《あいぞうばん》

ジュニア空《くう》想《そう》科《か》学《がく》読《どく》本《ほん》④

柳《やなぎ》田《た》理《り》科《か》雄《お》・著
藤嶋《ふじしま》マル・絵

汐《ちょう》文《ぶん》社《しゃ》

好《す》きになる理由《りゆう》なんて、あるのか？

こういう本《ほん》を書《か》いていると「どうして理科《りか》が好《す》きになったのですか？」と聞《き》かれることが多《おお》いのだが、この質問《しつもん》はとても困《こま》る。実《じつ》は自分《じぶん》でもわからなくて、「気《き》がついたら好《す》きになっていた」というのが正直《しょうじき》なところなのだ。

僕《ぼく》は、鹿児島県《かごしまけん》の種子島《たねがしま》で生《う》まれた。種子島《たねがしま》には、動物《どうぶつ》や植物《しょくぶつ》も多《おお》かったし、星《ほし》も夜空《よぞら》いっぱいに見《み》えたし、耕運機《こううんき》など仕組《しく》みが目《め》に見《み》える機械《きかい》もたくさんあった。小学《しょうがく》3年生《ねんせい》のときには、宇宙開発事業団《うちゅうかいはつじぎょうだん》（現在《げんざい》のＪＡＸＡ《ジャクサ》）のロケット発射基地《はっしゃきち》も、町内《ちょうない》に作《つく》られた。生活《せいかつ》のなかでそれらに触《ふ》れているうちに、自然《しぜん》に理科《りか》が好《す》きになったのは確《たし》かだろう。

同時《どうじ》に、テレビのブラウン管《かん》（テレビ画面《がめん》のことを、昔《むかし》はそう呼《よ》んだのだ）のなかで活躍《かつやく》するヒーローや科学者《かがくしゃ》にもモーレツに憧《あこが》れた。特《とく》に『ウルトラマン』が始《はじ》まったときの衝撃《しょうげき》はすごくて、当時《とうじ》5歳《さい》だった僕《ぼく》は「これはニュース番組《ばんぐみ》だ」と信《しん》じた。だから怪獣《かいじゅう》とウルトラマンが戦《たたか》ってビルが壊《こわ》れたりすると「ああっ、ビルにいる人《ひと》は大丈夫《だいじょうぶ》!?」と、本気《ほんき》で心配《しんぱい》したものだ。

つまり、目《め》の前《まえ》の動物《どうぶつ》や植物《しょくぶつ》や星空《ほしぞら》や機械《きかい》も、ブラウン管《かん》や本《ほん》のなかのできごとも、僕《ぼく》にとっては同《おな》じように「リアルなできごと」だったのだ。「ネコのしっぽは何《なん》のためにあるのだろう？」

と疑問《ぎもん》を持《も》ち、「オリオン座《ざ》は真夏《まなつ》には見《み》えない」ことを知《し》り、「ウルトラマンの身長《しんちょう》は、何階建《なんがいだ》てのビルくらいか？」という計算《けいさん》をする。あらゆることを対象《たいしょう》に、興味《きょうみ》を抱《いだ》いて真剣《しんけん》に考《かんが》えていく……という体験《たいけん》をたくさんした結果《けっか》、それらの結論《けつろん》は自分《じぶん》の予想《よそう》を超《こ》え、オドロキに満《み》ちていることに気《き》づいた。知《し》っているつもりのできごとや現象《げんしょう》ほど、考《かんが》えたり調《しら》べたりしていくと、予《よ》想外《そうがい》に広《ひろ》くて深《ふか》い顔《かお》を見《み》せてくれることに感動《かんどう》した。

僕《ぼく》は、読者《どくしゃ》の皆《みな》さんにも同《おな》じような経験《けいけん》をしてほしいと思《おも》った。だから『ジュニア空想科学読《くうそうかがくどく》本《ほん》』を書《か》き始《はじ》めたのだが、各地《かくち》へ講演《こうえん》に行《い》って読者《どくしゃ》の方《かた》と話《はな》したり、ホームページに寄《よ》せられた感想《かんそう》を読《よ》んだりして、自分《じぶん》の気持《きも》ちが読者《どくしゃ》に伝《つた》わっていると感《かん》じた。これに勇気《ゆうき》をもらい、シリーズ4冊目《さつめ》の本書《ほんしょ》では、これまで以上《いじょう》に新旧《しんきゅう》さまざまな作品《さくひん》を採《と》り上《あ》げたつもりである。いま大《だい》人気《にんき》の『妖怪《ようかい》ウォッチ』や『進撃《しんげき》の巨人《きょじん》』から、僕《ぼく》が子《こ》どもの頃《ころ》に衝撃《しょうげき》を受《う》けた『マグマ大使《たいし》』や『フランダースの犬《いぬ》』まで。目《め》の前《まえ》の現象《げんしょう》がすべて理科《りか》の研究対象《けんきゅうたいしょう》になるのと同《おな》じように、どんな作品《さくひん》でも、謎《なぞ》を発見《はっけん》し、調《しら》べ、考《かんが》えれば、楽《たの》しい何《なに》かに出会《であ》える。

そしてこれが、僕《ぼく》が理科《りか》を好《す》きになった理由《りゆう》でもある。お金《かね》は使《つか》えばなくなるけれど、理科《りか》や科学《かがく》は、楽《たの》しめば楽《たの》しむほど世界《せかい》が広《ひろ》がる。わかる楽《たの》しさ、広《ひろ》がる楽《たの》しさ、どこまで行《い》けるかわからない楽《たの》しさ……。1人《ひとり》でも多《おお》くの人《ひと》に伝《つた》わるといいなあ、と心《こころ》から願《ねが》う。

愛蔵版《あいぞうばん》
ジュニア空想《くうそう》科学《かがく》読本《どくほん》④

目《もく》次《じ》

とっても気《き》になる童話《どうわ》の疑問《ぎもん》

ガラスの靴《くつ》を落《お》として幸《しあわ》せになったシンデレラ。王子《おうじ》さまの探《さが》し方《かた》は正《ただ》しいの？

読者《どくしゃ》の皆《みな》さんのなかで、『シンデレラ』の話《はなし》を知《し》らない人《ひと》はいないだろう。幼《おさな》い頃《ころ》から科学科《かがくか》学言《がくい》ってたワタクシでも、昔《むかし》から知《し》っている。原典《げんてん》はグリムやシャルル・ペローの童話《どうわ》『灰《はい》かぶり』といわれるが、それを元《もと》に、オペラや、バレエや、芝居《しばい》や、小説《しょうせつ》や、絵本《えほん》や、人形《にんぎょう》や映画《えいが》や、ミュージカルや、マンガや、アニメや、東《とう》京《きょう》ディズニーランドのお城《しろ》が作《つく》られ、世界中《せかいじゅう》で知《し》られる『シンデレラ』となった。時間《じかん》と空間《くうかん》を超《こ》えたすごい作品世界《さくひんせかい》である。

もちろん、日本《にほん》を代表《だいひょう》する辞書《じしょ》『広辞苑《こうじえん》』にも「シンデレラ」の項《こう》はあり、童話《どうわ》とオペラやバレエ曲《きょく》の解説《かいせつ》に続《つづ》いて、「③比喩的《ひゆてき》に、突然《とつぜん》の幸運《こううん》を得《え》た人《ひと》」とある。確《たし》かに、今《いま》でも「芸能界《げいのうかい》のシンデレラ」などと使《つか》う。「シンデレラ・ボーイ」という不思議《ふしぎ》な言葉《ことば》さえある。

本稿《ほんこう》では、シンデレラに訪《おとず》れた幸運《こううん》について、科学的《かがくてき》に検証《けんしょう》しよう。

◆豪華《ごうか》な馬車《ばしゃ》だ！　売《う》り払《はら》おう！

お城《しろ》の王子《おうじ》さまが、お妃探《きさきさが》しのために舞踏会《ぶとうかい》を開《ひら》くことになった。シンデレラも胸《むね》を弾《はず》ませるが、舞踏会《ぶとうかい》に着《き》ていけるようなドレスはなく、姉《ねえ》さんたちの意地悪《いじわる》もあって、お留守番《るすばん》となった。

そこへ魔法使《まほうつか》いが現《あらわ》れ、シンデレラのボロボロな服《ふく》を美《うつく》しいドレスに変《か》え、カボチャを馬車《ばしゃ》に、ネズミを馬《うま》に、トカゲを従者《じゅうしゃ》に変《か》えて、舞踏会《ぶとうかい》に行《い》けるようにしてくれた。ただし、魔法使《まほうつか》いはこう言《い》った。

「時計《とけい》が12時《じ》を打《う》つと、この魔法《まほう》は解《と》けてしまう。12時《じ》までには必《かなら》ずお城《しろ》を出《で》るんだよ」

いや〜、あらためて考《かんが》えると、ドキドキしますなあ、この話《はなし》。豪華《ごうか》な装《よそお》いはすべて仮初《かりそ》めで、形《かたち》を保《たも》つのは12時《じ》まで。いったいどうなるのでしょう!?(↑知《し》ってるって)

さて、前述《ぜんじゅつ》のとおり『シンデレラ』の物語《ものがたり》はいくつもあり、話《はなし》の細《こま》かい点《てん》はいろいろ違《ちが》う。その一《ひと》つに「カボチャの馬車《ばしゃ》は金《きん》でできていた」というバージョンのお話《はなし》がある。

馬車《ばしゃ》が金《きん》でできていたら、大変《たいへん》だ。金《きん》は重《おも》い金属《きんぞく》で、1Lの牛乳《ぎゅうにゅう》パックの大《おお》きさで19・3kgもの重《おも》さがある。カボチャが人《ひと》の乗《の》れる大《おお》きさになったら、直径《ちょっけい》3m、高《たか》さ1・5mほどだろう。壁《かべ》の厚《あつ》さを1㎝とすると、馬車《ばしゃ》の重量《じゅうりょう》は3・8tになる。これは、四輪駆動《よんりんくどう》などの大《おお》きな乗用車《じょうようしゃ》2台分《だいぶん》の重《おも》さだ。馬《うま》に変身《へんしん》させられて、これを引《ひ》っ張《ぱ》らされたネズミも苦労《くろう》しただろう。

これだけの金《きん》となると値段《ねだん》もすごい。この原稿《げんこう》を書《か》いている本日《ほんじつ》の相場《そうば》で、金《きん》は1gあたり5237円《えん》。3・8tだと時価《じか》197億円《おくえん》！　新幹線《しんかんせん》でも1両《りょう》3億円《おくえん》だから、途轍《とてつ》もない金額《きんがく》だ。金《きん》のカボチャの馬車《ばしゃ》1台《だい》で、16両編成《りょうへんせい》の東海道新幹線《とうかいどうしんかんせん》が4編成《へんせい》も買《か》えてしまう！

こんなお宝《たから》が手《て》に入《はい》ったら、筆者《ひっしゃ》ならもう、迷《まよ》わず売《う》りに行《い》きますね。しかし、古物商《こぶつしょう》に持《も》っていき、欲《よく》をかいて買《か》い取《と》り価格《かかく》を吊《つ》り上《あ》げようと粘《ねば》っているうちに、12時《じ》になってしまって魔法《ほう》が解《と》ける……と。シュ～ン。

オチまで想像《そうぞう》して元気《げんき》をなくしている場合《ばあい》ではない。シンデレラは売《う》っ払《ぱら》ったりせず、カボチャの馬車《ばしゃ》に乗《の》って、舞踏会《ぶとうかい》に行《い》ったのだ。よほど行《い》きたかったのだろう。不憫《ふびん》な娘《むすめ》じゃのう。

◆大丈夫《だいじょうぶ》か、この王子《おうじ》さま!?

こうしてシンデレラは、念願《ねんがん》の舞踏会《ぶとうかい》に少《すこ》し遅《おく》れて参加《さんか》する。それまでつまらなそうにしていた王子《おうじ》さまは、シンデレラが入《はい》ってきたのに気《き》づくと、その美《うつく》しさに魅《み》せられ、ダンスを申《もう》し込《こ》んだ。2人《ふたり》は夢《ゆめ》のように楽《たの》しい時間《じかん》を過《す》ごし、気《き》がついたときには、時計《とけい》が12時《じ》を告《つ》げ始《はじ》め……。

いや、ちょっと待《ま》て。

王子《おうじ》さまと夢中《むちゅう》でダンスするシンデレラが履《は》いているのは、ガラスの靴《くつ》。そんな履《は》き物《もの》でダンスなんぞ踊《おど》って、大丈夫《だいじょうぶ》なのか？

心配《しんぱい》なのは、体重《たいじゅう》のかかるヒールの部分《ぶぶん》だろう。ガラスは圧縮《あっしゅく》する力《ちから》には意外《いがい》に強《つよ》く、断面積《だんめんせき》1㎠あたり11tの荷重《かじゅう》に耐《た》える。だが、それは傷《きず》のないときの話《はなし》。ガラスはわずかな傷《きず》でもあると、強度《きょうど》が極端《きょくたん》に落《お》ちるのだ。

お城《しろ》の床《ゆか》は、おそらくは石畳《いしだたみ》だ。こんな場所《ばしょ》で何時間《なんじかん》も踊《おど》っていたら、ヒールに傷《きず》がつくんじゃないかなあ。しかも、ヒールのように棒《ぼう》の形《かたち》をしたガラスが圧縮力《あっしゅくりょく》で壊《こわ》れるときは、竹《たけ》ヤリのように斜《なな》めに割《わ》れる。最悪《さいあく》の場合《ばあい》、その鋭《するど》い切《き》っ先《さき》が、王子《おうじ》さまの足《あし》にグサッ！

材質《ざいしつ》の特性《とくせい》から「ガラスの靴《くつ》」というものを想像《そうぞう》すると、そんな心配《しんぱい》ばかりが頭《あたま》に浮《う》かんでしまうが、物語《ものがたり》ではガラスの靴《くつ》は割《わ》れず、なぜか12時《じ》が過《す》ぎても元《もと》に戻《もど》ることもなかった。だからこそ、名前《なまえ》も告《つ》げず走《はし》り去《さ》ったシンデレラを探《さが》す唯一《ゆいいつ》の手《て》がかりになったわけで、これこそがシンデレラ最大《さいだい》の幸運《こううん》であろう。

それにしても、筆者《ひっしゃ》は王子《おうじ》さまに、ひとこと申《もう》し上《あ》げたい。そもそもこの舞踏会《ぶとうかい》は、お妃《きさき》を探《さが》すために開《ひら》いたものだろう。気《き》に入《い》った女性《じょせい》がいたら、とっとと名前《なまえ》くらい聞《き》かんかい！

まさか王子《おうじ》さまも、シンデレラが突然帰《とつぜんかえ》っちゃうとは思《おも》わなかったのかもしれないが、時《とき》が経《た》つのを忘《わす》れるほど気《き》に入《い》ったのなら、普通《ふつう》は何《なん》らかの特徴《とくちょう》を覚《おぼ》えているだろう。顔《かお》はもちろん、背《せ》の高《たか》さとか、体型《たいけい》とか、髪《かみ》の長《なが》さや色《いろ》とか、瞳《ひとみ》の色《いろ》とか、声《こえ》とか。普通《ふつう》は誰《だれ》でも注目《ちゅうもく》するこれら一切《いっさい》を覚《おぼ》えていない王子《おうじ》さまって、どうなんだ。シンデレラは、こんなヒトが恋《こい》の相手《あいて》でいいのかなあ。

◆実《じつ》は科学的《かがくてき》な王子《おうじ》さまだった!?

人《ひと》の恋路《こいじ》にケチをつけてないで、科学的《かがくてき》に気《き》になる問題《もんだい》を考《かんが》えたい。

シンデレラが去《さ》った翌日《よくじつ》、王子《おうじ》さまは「このガラスの靴《くつ》に足《あし》がぴったり合《あ》う人《ひと》をお妃《きさき》にする」と言《い》って、家来《けらい》に靴《くつ》の持《も》ち主《ぬし》を探《さが》させる。普通《ふつう》に考《かんが》えれば、この方法《ほうほう》はとってもマズイと思《おも》う。靴《くつ》というのは、サイズが合《あ》えば他《ほか》の人《ひと》でも履《は》けてしまうではないか。

ところが、物語《ものがたり》では、国《くに》じゅうの娘《むすめ》に履《は》かせたけれど、誰《だれ》の足《あし》にも入《はい》らなくて、とうとうシンデレラの家《いえ》にやってきた、となっている。「誰《だれ》の足《あし》にも入《はい》らなかった」ということは、シンデレラの足《あし》が、国《くに》じゅうの誰《だれ》よりも小《ちい》さかったのだろう。

女性《じょせい》の足《あし》のサイズについて調《しら》べてみたところ、女性《じょせい》870人《にん》に靴《くつ》のサイズを聞《き》いたアンケート結果《けっか》が見《み》つかった。そのデータによると、女性《じょせい》の足《あし》の平均《へいきん》サイズは23・5㎝だという。

また、こういう統計《とうけい》を取《と》ると、平均《へいきん》から離《はな》れるほど人数《にんずう》が減《へ》っていく山《やま》なりのグラフができる。その人数《にんずう》の減《へ》り具合《ぐあい》を表《あらわ》す「標準偏差《ひょうじゅんへんさ》」が、この統計《とうけい》では「1㎝」と書《か》かれていた。これは、平《へい》均《きん》から上下《じょうげ》に1㎝ずれた22・5㎝から24・5㎝のなかに68％の人《ひと》が含《ふく》まれ、2㎝ずれた21・5㎝から25・5㎝のあいだに95％が含《ふく》まれるということだ。

すると、シンデレラの足《あし》のサイズはどれほどだったのか？　この国《くに》に年頃《としごろ》の娘《むすめ》が千人《せんにん》いたとして、シンデレラ以下《いか》の人《ひと》が他《ほか》に1人《ひとり》も存在《そんざい》しないサイズを統計的《とうけいてき》に算出《さんしゅつ》してみると、おおっ、20・5㎝だぁ！

大人《おとな》の女性《じょせい》として、これはなかなか小《ちい》さい足《あし》である。筆者《ひっしゃ》は、こういう小《ちい》さな足《あし》の人《ひと》には会《あ》った記憶《きおく》がないような……。あ。王子《おうじ》さまも同《おな》じ思《おも》いだったとしたら、先《さき》ほどの「この方法《ほうほう》はとってもマズイ」という筆者《ひっしゃ》の指摘《してき》は間違《まちが》いかもしれません。

つまり、王子《おうじ》さまが残《のこ》されたガラスの靴《くつ》を見《み》て「こんな足《あし》のサイズの女性《じょせい》は、わが国《くに》には統計《とうけい》的《てき》に1人《ひとり》しかいないはず！」と考《かんが》えて、靴《くつ》を手《て》がかりにシンデレラを探《さが》させたとしたら……。彼《かれ》は記憶力《きおくりょく》はモーレツにないけど、とっても科学的《かがくてき》な王子《おうじ》さまだと思《おも》います。

とっても気《き》になるアニメの疑問《ぎもん》

『妖怪《ようかい》ウォッチ』映画版《えいがばん》に出《で》てきたデカニャンは、どれほどの大《おお》きさですか？

2015年《ねん》の年明《としあ》け早々《そうそう》、映画館《えいがかん》に『映画《えいが》 妖怪《ようかい》ウォッチ 誕生《たんじょう》の秘密《ひみつ》だニャン！』を見《み》に行《い》ったのだが、大盛況《だいせいきょう》でしたなあ。エンディングで子《こ》どもたちが「ゲラゲラポー走曲《そうきょく》」を楽《たの》しげに踊《おど》っているのがうらやましかった。よし、筆者《ひっしゃ》も急《いそ》いで練習《れんしゅう》を……。

いやいや、ゲラゲラポーの練習《れんしゅう》をしている場合《ばあい》ではなかった。この映画《えいが》では、なんといってもフユニャンが強《つよ》い印象《いんしょう》を残《のこ》した。フユニャンは浮遊霊《ふゆうれい》の妖怪《ようかい》で、ケータの祖父《そふ》・ケイゾウの大切《たいせつ》な友達《ともだち》だ。ケータを60年前《ねんまえ》の世界《せかい》につれていき、妖怪《ようかい》ウォッチの開発《かいはつ》を阻止《そし》する怪魔《かいま》たちに立《た》ち向《む》かう。必殺技《ひっさつわざ》は、ど根性《こんじょう》ストレート肉球《にくきゅう》！

だが、そんなふうにカッコいいのは物語《ものがたり》の中盤《ちゅうばん》からの話《はなし》である。最初《さいしょ》に登場《とうじょう》したフユニャンは、ビルほどもある巨大《きょだい》な猫《ねこ》の妖怪《ようかい》で、なんだかボーッとしていて、その名《な》もまんま「デカニャン」。浮遊霊《ふゆうれい》なので街《まち》の上空《じょうくう》を漂《ただよ》いながら、いろんなものを巨大化《きょだいか》させる迷惑行為《めいわくこうい》を働《はたら》いた。

本稿《ほんこう》では、巨大化《きょだいか》してしまったフユニャンの謎《なぞ》について考《かんが》えてみたい。

◆冒頭《ぼうとう》の事件《じけん》は科学的《かがくてき》にすごい

物語《ものがたり》の冒頭《ぼうとう》、突然街《とつぜんまち》に現《あらわ》れたデカニャンは、さまざまなものを瞬時《しゅんじ》に巨大化《きょだいか》させていく。女性《じょせい》の帽子《ぼうし》を、八百屋《やおや》の野菜《やさい》を、生簀《いけす》の魚《さかな》を、ハンバーガーを、通行人《つうこうにん》のハイヒールを、そしてケータのアタマをも……！

街《まち》はもう、大変《たいへん》な騒《さわ》ぎ。生簀《いけす》から飛《と》び出《だ》した鯛《たい》と思《おも》われる魚《さかな》は、空中《くうちゅう》で1・5mほどに巨大化《きょだいか》した。これをお客《きゃく》のご婦人《ふじん》はハッシと抱《だ》き留《と》めていたが、40㎝ほどの普通《ふつう》の鯛《たい》は重《おも》さ1㎏ほどだから、鯛《たい》は3・75倍《ばい》に巨大化《きょだいか》し、重量《じゅうりょう》は53㎏になったと思《おも》われる。そんなモノを急《きゅう》に受《う》け止《と》めるとは、このご婦人《ふじん》、ここのシーンに登場《とうじょう》しただけだが、すごい人《ひと》だ！

また、ハンバーガーは直径《ちょっけい》が1mほどに巨大化《きょだいか》した。市販《しはん》のハンバーガーを計《はか》ると、直径《ちょっけい》10㎝、重《おも》さ148gだった。直径《ちょっけい》が10倍《ばい》になったということは、重《おも》さは千倍《せんばい》の148㎏になったはずだ。

食《た》べようとしていた客《きゃく》は即座《そくざ》に「食《た》べられませんへ！」と叫《さけ》んでいたが、大事《だいじ》なのはそこですか!? それより何《なに》より、急《きゅう》に大《おお》きくなったという事実《じじつ》にもっと驚《おどろ》いていただきたい。

気《き》の毒《どく》なのは、頭《あたま》を巨《きょ》デカにされた人々《ひとびと》である。ケータの場合《ばあい》で目測《もくそく》すると、通常《つうじょう》の8倍《ばい》ほどに巨大化《きょだいか》していたから、重量《じゅうりょう》は512倍増《ばいぞう》した計算《けいさん》になる。小《しょう》5男子《だんし》の頭部《とうぶ》の重量《じゅうりょう》は2kgほどなので、なんと1tを超《こ》える！ 道行《みちゆ》く人々《ひとびと》も同様《どうよう》に頭《あたま》を巨大化《きょだいか》され「おっとっと」と言《い》いながらバランスを取《と》っていたが、筆者《ひっしゃ》としては、よく首《くび》が折《お》れなかったと胸《むね》をなで下《お》ろします。それにしても皆《みな》さん、逞《たくま》しいというか、反応《はんのう》が呑気《のんき》ですなあ。

◆デカニャンはどれだけデカい？

もちろんフユニャン自身《じしん》も巨大化《きょだいか》してデカニャンになっていたわけだが、その大《おお》きさはどれほどだったのか？

映画館《えいがかん》で見《み》ただけなので、映像《えいぞう》の一時停止《いちじていし》や巻《ま》き戻《もど》しはできず(当《あ》たり前《まえ》です)、そのサイズを正確《せいかく》に割《わ》り出《だ》すことは難《むずか》しい。そこで劇場用《げきじょうよう》パンフレットで、ケータといっしょに描《えが》かれていたカットをもとに計算《けいさん》してみよう。

その絵《え》で測《はか》ると、デカニャンの頭部《とうぶ》の上下《じょうげ》は、ケータの身長《しんちょう》の5・3倍《ばい》もある。小《しょう》5のケータ

の身長《しんちょう》が、同学年《どうがくねん》の平均《へいきん》に等《ひと》しい145㎝だったとすると、デカニャンの頭頂《とうちょう》の高《たか》さは7・7m。学校《がっこう》の体育館《たいいくかん》の天井《てんじょう》に届《とど》く! また、顔《かお》の横幅《よこはば》は10・2m。ダブルスのテニスコートの横幅《よこはば》(10・97m)に迫《せま》る!

体長《たいちょう》は、映画《えいが》の記憶《きおく》を元《もと》にした計算《けいさん》になってしまうが、おそらく28mほどと思《おも》われる。まるで怪獣《かいじゅう》だ。

こんな猫《ねこ》が実在《じつざい》したら、その体重《たいじゅう》は1200t。もちろん、浮遊霊《ふゆうれい》のデカニャンは宙《ちゅう》に浮《う》いていたから、体《からだ》の平均密度《へいきんみつど》は空《くう》気《き》と同《おな》じなのだろう。それでも1・5t！　街《まち》に現《あらわ》れたデカニャンは、ぶつかった建物《たてもの》を破壊《はかい》していたが、宙《ちゅう》に浮《う》いているとはいえ大型《おおがた》の乗用車《じょうようしゃ》くらい重《おも》いのだから、あれはきわめて科学的《かがくてき》なシーンだったのである。

◆いつ出《で》られなくなったのか？

フユニャンの本来《ほんらい》の身長《しんちょう》は、ジバニャンと変《か》わらない65㎝くらい。それがなぜ28mにも巨大化《きょだいか》してしまったのか。その理由《りゆう》は劇中《げきちゅう》で、フユニャン自身《じしん》が述《の》べていた。

それによると、お蔵《くら》のなかで怪魔《かいま》と戦《たたか》う方法《ほうほう》を考《かんが》えるうちに、つい60年《ねん》が過《す》ぎ、妖気《ようき》を吸《す》って巨大化《きょだいか》して、蔵《くら》から出《で》られなくなった……らしい。そこで霊体《れいたい》だけを街《まち》に漂《ただよ》わせ、いっしょに怪魔《かいま》と戦《たたか》ってくれる少年《しょうねん》を探《さが》していたのだった。

う～む。気《き》の毒《どく》とは思《おも》うものの、おマヌケ感《かん》は免《まぬが》れない話《はなし》である。ではフユニャンは、どの時点《じてん》でお蔵《くら》から出《で》られなくなってしまったのだろう？

フユニャンの顔《かお》の横幅《よこはば》は、30㎝ほどと思《おも》われる。これが60年間《ねんかん》で10・2mになったのだから、一定《いってい》の割合《わりあい》で大《おお》きくなったとしたら、1年《ねん》に16・5㎝ずつ巨大化《きょだいか》してきたことになる。

また、猫《ねこ》は狭《せま》いところでも、頭《あたま》が通《とお》り抜《ぬ》けられれば、全身《ぜんしん》も抜《ぬ》けられるという。蔵《くら》の入口《いりぐち》の横《よこ》幅《はば》は、日本《にほん》の古《ふる》い単位《たんい》で1間《けん》＝1・818mだろう。この映画《えいが》が封切《ふうき》られた2014年《ねん》12月《がつ》がジャスト60年目《ねんめ》だとすると、フユニャンが蔵《くら》に入《はい》ったのは1954年《ねん》12月《がつ》。怪獣映画《かいじゅうえいが》の元祖《がんそ》『ゴジラ』が公開《こうかい》された翌月《よくげつ》である。

そこから毎年少《まいとしすこ》しずつ大《おお》きくなっていって、ついに出《で》られなくなったのは64年《ねん》3月《がつ》だと思《おも》われる。奇《く》しくも、60年後《ねんご》に『妖怪《ようかい》ウォッチ』で大《だい》ヒットを飛《と》ばすテレビ東京《とうきょう》(旧社名《きゅうしゃめい》は東京十二《とうきょうじゅうに》チャンネル)が開局《かいきょく》するのは、その次《つぎ》の月《つき》だ。蔵《くら》から抜《ぬ》け出《だ》すチャンスは、10年《ねん》もあったのになあ。

だが、冷静《れいせい》に考《かんが》えれば、デカニャンにはモノを巨大化《きょだいか》させる妖力《ようりょく》があるのだから、何《なに》よりも先《さき》に、蔵《くら》の大《おお》きさを10倍《ばい》にするべきではなかったか。すると入口《いりぐち》の横幅《よこはば》も10倍《ばい》になって、18・18mに。10・2mのデカ頭《あたま》でも、楽々《らくらく》と抜《ぬ》けられたはずである。

やっぱりどこかヌケているキャラクターだが、心《こころ》を閉《と》ざすケイゾウを信《しん》じて、ブレることなく励《はげ》まし続《つづ》けたフユニャンは本当《ほんとう》にカッコいい。筆者《ひっしゃ》も早《はや》く、ゲラゲラポーを踊《おど》れるようにならなければ。

とっても気《き》になるゲームの疑《ぎ》問《もん》

『ポケットモンスター』のポニータは、ジャンプで東京《とうきょう》タワーを跳《と》び越《こ》えます。どれほどの脚力《きゃくりょく》ですか？

東京《とうきょう》スカイツリーができて世間《せけん》の話題《わだい》をさらったときには、東京《とうきょう》タワーはどうなってしまうんだ!?と心配《しんぱい》したものだ。でも、あれから何年《なんねん》経《た》っても、意外《いがい》と存在感《そんざいかん》を失《うしな》いませんな。いまでもテレビで東京《とうきょう》を象徴《しょうちょう》する映像《えいぞう》が映《うつ》るときには、画面《がめん》に東京《とうきょう》タワーが入《はい》っていることが多《おお》い。

これに胸《むね》をなでおろしているのは、子《こ》どもの頃《ころ》から東京《とうきょう》タワーに憧《あこが》れた筆者《ひっしゃ》のような上京組《じょうきょうぐみ》と、『ポケモン』のポニータであろう。前者《ぜんしゃ》はともかく、ポニータは「東京《とうきょう》タワーを跳《と》び越《こ》える」と、その能力《のうりょく》が東京《とうきょう》タワーを基準《きじゅん》に語《かた》られているから、この電波塔《でんぱとう》の存在感《そんざいかん》は死活問題《しかつもんだい》だ。

具体的《ぐたいてき》に見《み》てみよう。ポニータは「たかさ1・0m　おもさ30・0kg」の「ひのうまポケモン」。

全身《ぜんしん》に赤《あか》と黄色《きいろ》の炎《ほのお》がゆらめいていて、その脚力《きゃくりょく》について各種《かくしゅ》ポケモン図鑑《ずかん》は、高《たか》らかにこう謳《うた》っている。

「東京《とうきょう》タワーのような高《たか》い建物《たてもの》だってひとっ飛《と》びできるんだ」（『ポケモン全《ぜん》キャラ大事典《だいじてん》』小学館《しょうがくかん》）

「1回《かい》のジャンプで、東京《とうきょう》タワーもとびこえるぞ」（『ポケモン全《ぜん》キャラ大図鑑《だいずかん》』小学館《しょうがくかん》）

東京《とうきょう》タワーは、高《たか》さ333m。小《ちい》さなカラダでこれを跳《と》び越《こ》えるとは、恐《おそ》るべき跳躍力《ちょうやくりょく》だ。いったいどれほどの脚力《きゃくりょく》なのだろうか。

◆どこでジャンプすればよいか？

ポニータの脚力《きゃくりょく》を求《もと》めるには、その跳躍《ちょうやく》が、具体的《ぐたいてき》にどのような軌道《きどう》を描《えが》くかを明《あき》らかにする必要《ひつよう》がある。

ポニータはひのうまポケモンの名《な》のとおり、馬《うま》にそっくりな姿《すがた》をしている。当然《とうぜん》、人間《にんげん》のように真上《まうえ》に跳《と》び上《あ》がることはできまいから、馬術《ばじゅつ》の障害競技《しょうがいきょうぎ》のように、助走《じょそう》をつけて斜《なな》めにジャンプするのだろう。そこで、この競技《きょうぎ》における馬《うま》の踏《ふ》み切《き》り位置《いち》を調《しら》べてみると、バーの高《たか》さは60〜160㎝で、踏《ふ》み切《き》り位置《いち》は馬《うま》に任《まか》せるが、バーの高《たか》さと同《おな》じ距離《きょり》だけ手前《てまえ》で踏《ふ》み切《き》るのが基本《きほん》だという。

なるほど。これに学《まな》べば、ポニータが333mの東京《とうきょう》タワーを跳《と》び越《こ》えるには、タワーの333m手前《てまえ》でジャンプするのがよいことになる。また、ジャンプで描《えが》く軌道《きどう》は、上昇《じょうしょう》と下降《かこう》で左《さ》右対称《ゆうたいしょう》になるから、着地点《ちゃくちてん》も東京《とうきょう》タワーの333m向《む》こう側《がわ》になるはずだ。

これを前提《ぜんてい》に、ポニータが本当《ほんとう》に東京《とうきょう》タワーを跳《と》び越《こ》えようと思《おも》ったら、どこでジャンプし、どこに着地《ちゃくち》すればいいのかを、現実的《げんじつてき》に考《かんが》えよう。

ひとたび跳《と》び上《あ》がったら、もうコントロールは利《き》かず、着地点《ちゃくちてん》は選《えら》べない。すると、ジャンプの際《さい》は多少《たしょう》の危険《きけん》を冒《おか》してでも、着地時《ちゃくちじ》の安全《あんぜん》を優先《ゆうせん》すべきだろう。地図《ちず》で調《しら》べると、考《かんが》えられるコースはただ一《ひと》つ。

東京《とうきょう》タワーに向《む》かって西北西《せいほくせい》から走《はし》る外苑東通《がいえんひがしどお》りで助走《じょそう》し、飯倉交差点《いいくらこうさてん》の直前《ちょくぜん》でジャンプして、増上寺《ぞうじょうじ》という大《おお》きな寺《てら》の境内《けいだい》に着地《ちゃくち》するのだ。増上寺《ぞうじょうじ》にご参詣《さんけい》の皆《みな》さま、空《そら》から燃《も》え盛《さか》る馬《うま》が降《ふ》ってくることがありますので、ご注意《ちゅうい》ください。

◆道路《どうろ》が壊《こわ》れないか、心配《しんぱい》だ！

では、この東京《とうきょう》タワー越《ご》え大《だい》ジャンプには、どんなスピードと脚力《きゃくりょく》が要求《ようきゅう》されるのか。

333m手前《てまえ》で踏《ふ》み切《き》って、333mの高《たか》さのものを跳《と》び越《こ》えるには、時速《じそく》145㎞の助走《じょそう》が

必要《ひつよう》だ。外苑東通《がいえんひがしどお》りを走行中《そうこうちゅう》の車両《しゃりょう》も、ご注意《ちゅうい》ください。
時速《じそく》１４５㎞で走行《そうこう》し、飯倉《いいくら》交差点《こうさてん》の手前《てまえ》に達《たっ》したら、地面《じめん》から63度《ど》の角度《かくど》でジャンプする。要求《ようきゅう》される離陸《りりく》スピードは、時《じ》速《そく》３２５㎞！　なんと日本最速《にほんさいそく》の列車《れっしゃ》・東北新幹線《とうほくしんかんせん》はやぶさの時速《じそく》３２０㎞を上回《うわまわ》るのだ。
この大跳躍《だいちょうやく》には、当然《とうぜん》モノスゴイ脚力《きゃくりょく》が必要《ひつよう》だ。離陸《りりく》の直前《ちょくぜん》に膝《ひざ》を30㎝曲《ま》げると仮定《かてい》して計《けい》算《さん》すると、おお33・３ｔ。３３３ｍの東京《とうきょう》タワーを飛《と》び越《こ》えるための脚力《きゃくりょく》が33・３ｔ！　なんだか感動《かんどう》するなあ、単《たん》なる偶然《ぐうぜん》だけど。

だが心配《しんぱい》なこともある。前掲《ぜんけい》の『大図鑑《だいずかん》』に次《つぎ》の記述《きじゅつ》があるからだ。「足《あし》のヒヅメは、ダイヤモンドの10ばいもかたい」。

なんと、ダイヤモンドは地球《ちきゅう》でもっとも硬《かた》い物質《ぶっしつ》なのに、それを10倍《ばい》も上回《うわまわ》るとは。そんなに硬《かた》いヒヅメで33・3tもの大衝撃《だいしょうげき》を与《あた》えちゃって、道路《どうろ》は大丈夫《だいじょうぶ》なのか？

調《しら》べてみると、道路《どうろ》のアスファルトは1㎠あたり30㎏の力《ちから》に耐《た》えるという。一方《いっぽう》『大図鑑《だいずかん》』の絵《え》でポニータの蹄《ひづめ》の直径《ちょっけい》を測《はか》ると10㎝である。この蹄《ひづめ》で路面《ろめん》を蹴《け》ると、33・3tの衝撃《しょうげき》が4本《ほん》の足《あし》に均等《きんとう》に分散《ぶんさん》したとしても、道路《どうろ》には1㎠あたり106㎏の力《ちから》がかかる。わーっ、限界《げんかい》を3倍《ばい》以上《いじょう》も超《こ》えちゃった。路面《ろめん》はブチ割《わ》れ、ポニータの足《あし》はアスファルトにメリ込《こ》む！

そして、アスファルトの破壊《はかい》に余分《よぶん》なエネルギーを使《つか》ってしまったポニータには、東京《とうきょう》タワーを跳《と》び越《こ》えるだけのエネルギーはもはや残《のこ》されていない。目標《もくひょう》のはるか手前《てまえ》で下降《かこう》に入《はい》り、東京《とうきょう》タワーに激突《げきとつ》……。

外苑東通《がいえんひがしどお》りは東京都道《とうきょうとどう》319号環状三号線《ごうかんじょうさんごうせん》に属《ぞく》している。これを管理《かんり》する東京都建設局《とうきょうとけんせつきょく》には、外苑東通《がいえんひがしどお》りの強化工事《きょうかこうじ》をお願《ねが》いします～。

◆そ、それは進化《しんか》なのか？

時速《じそく》325㎞でジャンプし、高度《こうど》は333mを超《こ》える。これだけでも驚嘆《きょうたん》に値《あたい》するが、ポケモンの常《つね》として、このポニータが、さらに進化《しんか》するのだから恐《おそ》ろしい。

その名《な》はギャロップ。姿《すがた》はほぼ同《おな》じだが、体高《たいこう》1・7m、体重《たいじゅう》95・0kgと大《おお》きくなる。1m・30kgのポニータが、そのままの体型《たいけい》で体高《たいこう》1・7mに拡大《かくだい》すると、体重《たいじゅう》は147kgになるから、ギャロップが体重《たいじゅう》95kgということは、体《からだ》はグッと引《ひ》き締《し》まるわけだ。ふむ、素晴《すば》らしい。では、この体躯《たいく》から発揮《はっき》される脚力《きゃくりょく》とはどれほどか？

『大事典《だいじてん》』は語《かた》る。「その走《はし》るスピードはとっても速《はや》く、最高時速《さいこうじそく》240キロにも達《たっ》するほどだ」。

とっても速《はや》く……って、遅《おそ》くなってるじゃん！　ポニータのときは時速《じそく》325㎞で走《はし》れたぞ！

しかも『大事典《だいじてん》』は、その前《まえ》にこう述《の》べている。「速《はや》く動《うご》く物体《ぶったい》を見《み》つけるときょう走《そう》したくなり、ついつい追《お》いかけてしまう」。

おそらくギャロップは、まだ進化《しんか》していない別《べつ》のポニータを見《み》ると、ついつい追《お》いかけてしまうのだろう。だがキミの足《あし》では、ポニータには追《お》いつけない！

まあ、進化《しんか》したからといって、能力《のうりょく》が上《あ》がるとは限《かぎ》らない。サルから進化《しんか》した人間《にんげん》だって、木《き》登《のぼ》りがヘタになってるしね。ギャロップはこれにメゲず、風《かぜ》のように走《はし》っていただきたい。

とっても気《き》になるマンガの疑問《ぎもん》

『進撃《しんげき》の巨人《きょじん》』の巨人《きょじん》は怖《こわ》いです。どうやったら滅《ほろ》ぼすことができるのでしょう？

大《だい》ヒットした『進撃《しんげき》の巨人《きょじん》』は恐《おそ》ろしいマンガである。

１０７年前《ねんまえ》のある日《ひ》、身長数《しんちょうすう》ｍの「巨人《きょじん》」が出現《しゅつげん》し、人間《にんげん》を食《く》い始《はじ》めた。総人口《そうじんこう》が50万人《まんにん》にまで激減《げきげん》してしまった人類《じんるい》は、高《たか》さ50ｍの壁《かべ》を三重《さんじゅう》に築《きず》き、その中《なか》で息《いき》を潜《ひそ》めて暮《く》らしてきた。ところが、その壁《かべ》が１００年《ねん》ぶりに破《やぶ》られる――。この衝撃《しょうげき》のシーンから、物語《ものがたり》は始《はじ》まる。

巨人《きょじん》は３ｍとか、７ｍとか、15ｍとか、さまざまな大《おお》きさで、とにかく人間《にんげん》を見《み》たら追《お》いかけてくる。で、つかまえたらパキパキ食《く》う！

そのうえ再生能力《さいせいのうりょく》がモノスゴく、大砲《たいほう》で頭《あたま》を吹《ふ》き飛《と》ばしても、数分《すうふん》で元《もと》に戻《もど》ってしまう。唯一《ゆいいつ》

の弱点《じゃくてん》はうなじで、そこを斬《き》りつければ、体《からだ》は消滅《しょうめつ》する。

こんな巨人《きょじん》と戦《たたか》って勝《か》つのは、至難《しなん》のワザである。実際《じっさい》、主人公《しゅじんこう》のエレンが所属《しょぞく》する調査兵団《ちょうさへいだん》は、厳《きび》しい訓練《くんれん》を積《つ》み、工夫《くふう》を凝《こ》らし、勇敢《ゆうかん》に戦《たたか》っているにもかかわらず、巨人《きょじん》と遭遇《そうぐう》するたびに多《おお》くの犠牲者《ぎせいしゃ》を出《だ》している。ここまで力《ちから》に差《さ》があっては仕方《しかた》がない、あきらめるか……。

いやいや、あきらめたらダメだろう。マンガは絶賛連載中《ぜっさんれんさいちゅう》であり、劇中《げきちゅう》の人々《ひとびと》は懸命《けんめい》に戦《たたか》っているのだから。ならば、筆者《ひっしゃ》といたしましては、21世紀《せいき》の人間《にんげん》らしく「過去《かこ》の例《れい》」から考《かんが》えて、巨人《きょじん》どもを滅《ほろ》ぼす方法《ほうほう》を考《かんが》えよう。われわれ人類《じんるい》には「たくさんの動植物《どうしょくぶつ》を絶滅《ぜつめつ》させてきた」という負《ふ》の実績《じっせき》がある。これを応用《おうよう》して、巨人《きょじん》を絶滅《ぜつめつ》させてしまう卑劣《ひれつ》な策《さく》を考《かんが》えるのだ！

◆人類《じんるい》は滅《ほろ》ぼされて当然《とうぜん》？

人間《にんげん》は、1対《たい》1ではライオンに勝《か》てない。

だが、かつてアフリカ全土《ぜんど》はもちろん、インドやヨーロッパにも棲《す》んでいたライオンが、アフリカの一部《いちぶ》で数万頭《すうまんとう》が暮《く》らすのみになったのは、人間《にんげん》が餌《えさ》となる動物《どうぶつ》を乱獲《らんかく》し、生活《せいかつ》の場《ば》である草原《そうげん》を狭《せま》くしたからだ。人間《にんげん》が直接戦《ちょくせつたたか》わなくても、環境《かんきょう》を悪化《あっか》させることなどによって、強《つよ》い動《どう》物《ぶつ》が種《しゅ》としての勢力《せいりょく》を弱《よわ》めることもあるということだ。

これはもちろん、人間《にんげん》が猛烈《もうれつ》に反省《はんせい》すべき歴史《れきし》である。ライオンに限《かぎ》らず、人間《にんげん》のせいで勢力《せいりょく》を弱《よわ》められ、あるいは根絶《ねだ》やしにされた生物《せいぶつ》は数《かぞ》え切《き》れない。マンモス、ペルシャトラ、ニホンカワウソ、メキシコハイイログマ、カモノハシガエル……。現在《げんざい》でも1日《にち》に100種《しゅ》ずつの生物《せいぶつ》が絶滅《ぜつめつ》しているともいわれる。その原因《げんいん》は、たとえば次《つぎ》のようなことだ。

①乱獲《らんかく》(これでニホンオオカミは絶滅《ぜつめつ》。ニホンウナギは絶滅危惧種《ぜつめつきぐしゅ》に指定《してい》された)
②外来種《がいらいしゅ》による生態系《せいたいけい》破壊《はかい》(ブラックバスが放《はな》たれた湖《みずうみ》で、日本固有種《にほんこゆうしゅ》が激減《げきげん》)
③自然環境《しぜんかんきょう》の破壊《はかい》(産卵場所《さんらんばしょ》の砂浜《すなはま》が減《へ》って絶滅《ぜつめつ》が心配《しんぱい》されるアカウミガメなど)
④化学汚染《かがくおせん》(ダイオキシンなどの有害物質《ゆうがいぶっしつ》により、生殖機能《せいしょくきのう》が失《うしな》われる)
⑤オゾン層《そう》の破壊《はかい》(カエルの激減《げきげん》は、これと関係《かんけい》があるとされる)

うわ〜。人間《にんげん》はひどいコトしてきたなあ。こう考《かんが》えると、人類《じんるい》が巨人《きょじん》によって滅《ほろ》ぼされるのも仕方《しかた》がないような気《き》がしてきますな。人間《にんげん》がいなくなっても、巨人《きょじん》は他《ほか》の動物《どうぶつ》を食《た》べたりしないから、多《おお》くの動植物《どうしょくぶつ》にとっては、巨人《きょじん》よりも人類《じんるい》が滅《ほろ》びるほうがありがたいのでは。むむ……。

根源的《こんげんてき》な問《と》いを投《な》げかけて、自分《じぶん》で答《こた》えに窮《きゅう》している場合《ばあい》ではない。これら「人間《にんげん》の犯《おか》した罪《つみ》」を悪用《あくよう》すれば、人類《じんるい》は巨人《きょじん》をも絶滅《ぜつめつ》させることができるのか？

「①乱獲《らんかく》」は、1体《たい》の巨人《きょじん》を倒《たお》すのにあれだけ苦労《くろう》しているのだから、やれと言《い》うほうが無理《むり》だろう。ライオンの場合《ばあい》みたいに、餌《えさ》となる動物《どうぶつ》を乱獲《らんかく》する手《て》もあるが、その餌《えさ》って人類《じんるい》だよ！

「②外来種《がいらいしゅ》による生態系破壊《せいたいけいはかい》」とは「元《もと》からその場所《ばしょ》にいた固有種《こゆうしゅ》に自然界《しぜんかい》での役割《やくわり》が似《に》ているが、より強《つよ》い動物《どうぶつ》」を連《つ》れてきて、固有種《こゆうしゅ》の生活圏《せいかつけん》を奪《うば》うということだ。すると、巨人絶滅《きょじんぜつめつ》のために連《つ》れてくるべきは、巨人《きょじん》のように人間《にんげん》を食《く》いまくり、巨人《きょじん》より強《つよ》い未知《みち》の超巨人《ちょうきょじん》ってこと？

そんな連中《れんちゅう》がやってきたら、人類《じんるい》はたちまち食《く》い尽《つ》くされて全滅《ぜんめつ》だあ！

残《のこ》る「③自然環境《しぜんかんきょう》の破壊《はかい》」「④化学汚染《かがくおせん》」「⑤オゾン層《そう》の破壊《はかい》」には共通点《きょうつうてん》がある。それをやったら、人類《じんるい》も滅《ほろ》びる！　やや、どれもロクなことにならんどころか、事態《じたい》を悪化《あっか》させるだけ……。

◆巨人《きょじん》インフルエンザが大流行《だいりゅうこう》!?

絶滅《ぜつめつ》というと「恐竜《きょうりゅう》の絶滅《ぜつめつ》」が有名《ゆうめい》だ。6500万年前《まんねんまえ》、地球《ちきゅう》に直径《ちょっけい》10㎞の小惑星《しょうわくせい》が衝突《しょうとつ》し、巻《ま》き上《あ》がった土砂《どしゃ》で太陽光線《たいようこうせん》が遮《さえぎ》られて気温《きおん》が下《さ》がり、恐竜《きょうりゅう》は滅《ほろ》んだといわれる。これと同《おな》じことが起《お》これば、さすがの巨人《きょじん》も滅《ほろ》ぶのではないか？

え？　どうやって小惑星《しょうわくせい》を衝突《しょうとつ》させるのか？　うーん、それはもう天《てん》に祈《いの》るしか……。いや、その祈《いの》りが通《つう》じたところで、巨人《きょじん》は滅《ほろ》ぶかもしれんが、人間《にんげん》も滅《ほろ》びる！

では、次《つぎ》の手《て》。巨人《きょじん》に病気《びょうき》はないのだろうか？　巨人《きょじん》インフルエンザウィルスみたいなものを広める鳥や昆虫は、『進撃の巨人』の世界にはいないのか？

エレンの父親は医者だった。しかも名医で、多くの人が同じ病気で亡くなったとき、その病気を起こす細菌やウイルスを無力化する「抗体」を持って駆けつけ、たくさんの人を救ったのだ。

その医学の力で、ぜひとも「人間には無害だが、巨人を病気にする細菌やウイルス」を発見して、培養していただきたい。まだ発見されていないこのウイルスを「打倒巨人！」の願いを込めて、「タイガースウイルス」と名づけよう。がんばれ、タイガースウイルス！

と思ったが、筆者は困った事実に気づいてしまった。人間が病気にかかると高熱を発するのは、細菌やウイルスのせいではない。人間の体が、これらを倒すため、あえて体温を上げるのだ。つまり細菌やウイルスは、熱に弱い！そして巨人は、体から湯気が上がるほど、異常に体温が高いのだ。ああ、タイガースウイルスのほうが死滅しちゃうじゃん。

◆究極の巨人退治法だホイホイ！

こうなったら1体ずつ倒すしかない。ただし、まともに戦ったのでは勝てないから「彼らが背を向けてじっとしている状況」を作り出して、一網打尽にうなじを切り裂くのだ。

筆者が思うに、その作戦にあたって参考になるのは「ゴキブリホイホイ」であろう。

32

ゴキブリホイホイとは、粘着《ねんちゃく》シートの上《うえ》に誘引剤《ゆういんざい》を撒《ま》き、惹《ひ》かれてやってきたゴキブリを、粘着剤《ねんちゃくざい》で動《うご》けなくする捕獲装置《ほかくそうち》。これに倣《なら》って、高《たか》さ50ｍの壁《かべ》の外側《そとがわ》に粘着剤《ねんちゃくざい》を塗《ぬ》りまくるのだ。

その誘引剤《ゆういんざい》は、エビ、ビーフ、キャベツ、タマネギなどが原料《げんりょう》で、ゴキブリの好《この》む匂《にお》いを放《はな》つ。だが、巨人《きょじん》をおびき寄《よ》せるのに、誘引剤《ゆういんざい》は不要《ふよう》だろう。彼《かれ》らは人《にん》間《げん》を求《もと》めて壁《かべ》に近《ちか》づくのだから。

また粘着剤《ねんちゃくざい》とは、押《お》し当《あ》てればくっつく物質《ぶっしつ》のことで、接着《せっちゃく》剤《ざい》との違《ちが》いは、固《かた》まらないので長《なが》く粘着力《ねんちゃくりょく》を保《たも》ち、必要《ひつよう》があれば剝《は》がせる点《てん》だ。ゴキブリホイホイの他《ほか》にも、「熱《ねつ》さまシート」などに使《つか》われている(熱《ねつ》さまシートが剝《は》がせなかったら、困《こま》るよね)。

　これを人類《じんるい》の居住区《きょじゅうく》を囲《かこ》む壁《かべ》に塗《ぬ》れば、巨人《きょじん》は触《さわ》ったとたんビタッと粘着《ねんちゃく》され、動《うご》けなくなるだろう。しかも、その姿勢《しせい》はたぶん壁《かべ》に体《からだ》を向《む》けたまま。背後《はいご》に回《まわ》れば、うなじはガラ空《あ》きだ！　兵士《へいし》たちは、その巨人《きょじん》のうなじを存分《ぞんぶん》に斬《き》りまくればよい。

　う～む、われながらノーベル賞《しょう》クラスのアイデアを思《おも》いついたような気《き》がする。ココロがハレバレとするなあ。よし、この仕掛《しか》けを「巨人《きょじん》ホイホイ」と名《な》づけよう。運用《うんよう》する部隊《ぶたい》の名称《めいしょう》は、当然《とうぜん》「ホイホイ兵団《へいだん》」だ！

　問題《もんだい》は、壁《かべ》の外側全部《そとがわぜんぶ》に塗《ぬ》るには、大量《たいりょう》の粘着剤《ねんちゃくざい》が必要《ひつよう》なことくらいだろう。劇中《げきちゅう》の設定《せってい》などから壁《かべ》の総延長《そうえんちょう》を計算《けいさん》すると、ええっ、2600㎞!?　そんなにあるの!?　しかも高《たか》さは50ｍだ。巨人《きょじん》をピッタリくっつけるには、厚《あつ》さ10㎝は必要《ひつよう》だろう。すると必要《ひつよう》な粘着剤《ねんちゃくざい》は……ぎょえっ、1300万《まん》ｔ！　それって25ｍプール3万《まん》3千杯分《ぜんばいぶん》なんだけど。

　冒頭《ぼうとう》に述《の》べたように『進撃《しんげき》』の世界《せかい》の人口《じんこう》は50万人《まんにん》。それだけの人数《にんずう》で1300万《まん》ｔの粘着剤《ねんちゃくざい》を作《つく》り、壁《かべ》に塗《ぬ》ろうとすると、1人《ひとり》のノルマは26ｔになるが……。まあ『進撃《しんげき》の巨人《きょじん》』において、筆者推奨《ひっしゃすいしょう》のホイホイ作戦《さくせん》が実行《じっこう》に移《うつ》されることはあるまいから、心配《しんぱい》しなくても大丈夫《だいじょうぶ》か。

とっても気《き》になるゲームの疑問《ぎもん》

ソニック・ザ・ヘッジホッグは音速《おんそく》で走《はし》るのに、疲《つか》れる様子《ようす》がありません。なぜですか？

筆者《ひっしゃ》はゲームが苦手《にがて》で、あまり遊《あそ》んだことがないのだが、それでもソニックのことは知《し》っている。『ソニック・ザ・ヘッジホッグ』というゲームの主人公《しゅじんこう》で、青《あお》い髪《かみ》の生《は》え際《ぎわ》がV《ブイ》の字《じ》に切《き》れ上《あ》がった精悍《せいかん》な顔立《かおだ》ちのキャラですよね？　胴体《どうたい》は小《ちい》さく、手足《てあし》は長《なが》い。その体《からだ》で、とにかく走《はし》りに走《はし》る！

ヘッジホッグ＝ハリネズミの名《な》に恥《は》じず、ときには体《からだ》をボールのように丸《まる》めて転《ころ》がったりしながら、野《の》を越《こ》え丘《おか》を越《こ》え、崖《がけ》や川《かわ》を跳《と》び越《こ》えて、休《やす》みを知《し》らず、どこまでも走《はし》り続《つづ》ける。

しかも、そのスピードは「音速《おんそく》」だという。これだけの走《はし》りを音《おと》の速《はや》さでやると、大量《たいりょう》のエネルギーを消費《しょうひ》するはずだ。ソニックは、なぜ疲《つか》れないのだろう？

◆1秒間《びょうかん》に450歩《ぽ》！

ソニックが走《はし》る速《はや》さは、実際《じっさい》にどれほどなのか。

調《しら》べたところ、製作《せいさく》サイドは公表《こうひょう》していないが、『STAY SONIC《ステイソニック》』というイギリスの書《しょ》物《もつ》に「最高記録《さいこうきろく》は時速《じそく》761マイル」という記述《きじゅつ》があるという。これは時速《じそく》1225㎞＝秒速《びょうそく》340・2mということだ。おお、まさに音速《おんそく》！　ここでは四捨五入《ししゃごにゅう》して、ソニックが秒速《びょうそく》340mで走《はし》ると考《かんが》えて話《はなし》を進《すす》めよう。

1秒《びょう》で340mということは、1分《ぷん》で20㎞。フルマラソンを2分《ふん》ちょっとで走《はし》れるわけだ。たとえば、ゲームを25分《ふん》やったとしたら、東京《とうきょう》から大阪《おおさか》まで走《はし》ったことになる！　驚異《きょうい》のランナーだが、どんな走《はし》り方《かた》をすれば、このスピードが出《だ》せるのだろう？

画面《がめん》で測定《そくてい》すると、ソニックは0・162秒《びょう》で1歩《ぽ》を走《はし》っている。これで秒速《びょうそく》340mを出《だ》すということは、1歩《ぽ》の幅《はば》は340×0・162＝55m！　ええっ、そんなに大股《おおまた》!?

そもそもソニックの体格《たいかく》も、公式《こうしき》には発表《はっぴょう》されていない。人間界《にんげんかい》を代表《だいひょう》するスプリンターだったウサイン・ボルトは、身長《しんちょう》の1・4倍《ばい》の歩幅《ほはば》で走《はし》るが、ソニックも同《おな》じ比率《ひりつ》だとすると、1歩《ぽ》

55mで走《はし》るソニックの身長《しんちょう》は39mということになる。あのヒト、そんなに大柄《おおがら》だったのか〜。

いやいや、そんな怪獣《かいじゅう》みたいなソニックを想像《そうぞう》して納得《なっとく》したらいかんだろう。

画面《がめん》をよく見《み》ると、ソニックの丸《まる》い頭《あたま》の直径《ちょっけい》は、路傍《ろぼう》に咲《さ》いたヒマワリの花《はな》と同《おな》じぐらいだ。ここから頭《あたま》の直径《ちょっけい》を25㎝としよう。全身各部《ぜんしんかくぶ》を測《はか》って計算《けいさん》すると、身長《しんちょう》は54㎝。うむ、このぐらいだとかわいい感《かん》じで、ナットクできる。

しかし、身長《しんちょう》54㎝で秒速《びょうそく》３４０mを出《だ》すには、１秒《びょう》に４５０歩《ぽ》も走《はし》らねばならん。ボルトは１秒《びょう》に４・５歩《ほ》だったから、その１００倍《ばい》というけたたましい走《はし》りである。

そのうえソニックは、体《からだ》を丸《まる》めて転《ころ》がるときも、スピードを落《お》とさない。これはスゴイ。ボールのようになった体《からだ》の直径《ちょっけい》は、身長《しんちょう》の9割《わり》ほどである。これで秒速《びょうそく》３４０mを出《だ》すための回転数《かいてんすう》とは１秒間《びょうかん》に２２４回転《かいてん》！

自動車《じどうしゃ》のタイヤなど比較《ひかく》にならないレベルである。物体《ぶったい》が回転《かいてん》すると遠心力《えんしんりょく》が働《はたら》くが、ソニックの回転《かいてん》によって生《う》まれる遠心力《えんしんりょく》は、遠心分離機《えんしんぶんりき》の強力《きょうりょく》なものと同《おな》じくらい。遠心分離機《えんしんぶんりき》は、牛乳《ぎゅうにゅう》を脂肪《しぼう》と水分《すいぶん》に分《わ》けてバターを作《つく》ったり、血液《けつえき》を、赤血球《せっけっきゅう》や白血球《はっけっきゅう》などの血球《けっきゅう》と、血漿《けっしょう》と呼《よ》ばれる液体成分《えきたいせいぶん》に分《わ》けたりするのに使《つか》われる。回転《かいてん》するソニックの脳《のう》から脂肪《しぼう》と水分《すいぶん》が分離《ぶんり》したり、血液《けつえき》が血球《けっきゅう》と血漿《けっしょう》に分《わ》かれたりしないか心配《しんぱい》だ。

◆音速《おんそく》で走《はし》るのがいちばん大変《たいへん》

この猛烈《もうれつ》なランによって、ソニックは莫大《ばくだい》なエネルギーを消費《しょうひ》するだろう。生物《せいぶつ》が激《はげ》しい運動《うんどう》をして、体内《たいない》のエネルギーを消費《しょうひ》すると、筋肉《きんにく》の働《はたら》きを邪魔《じゃま》する物質《ぶっしつ》が作《つく》られる。これが「疲《つか》れる」ということだ。すると、どれほど疲《つか》れるかは、消費《しょうひ》したエネルギーの量《りょう》に左右《さゆう》される。

物体《ぶったい》が空気中《くうきちゅう》を速《はや》いスピードで運動《うんどう》すると「空気抵抗《くうきていこう》」という力《ちから》を受《う》ける。新幹線《しんかんせん》や飛行機《ひこうき》が滑《なめ》らかな流線型《りゅうせんけい》をしているのは、空気抵抗《くうきていこう》を小《ちい》さくするためだ。

空気抵抗《くうきていこう》は、スピードが上《あ》がるほど強《つよ》くなるが、音速《おんそく》の付近《ふきん》で「音《おと》の壁《かべ》」と呼《よ》ばれる特異《とくい》な現《げん》象《しょう》が見《み》られる。音速《おんそく》に近《ちか》づくと空気抵抗《くうきていこう》は急《きゅう》に跳《は》ね上《あ》がり、音速《おんそく》を超《こ》えると急《きゅう》に弱《よわ》くなる。

ということは、音速《おんそく》で走《はし》るときが、空気抵抗《くうきていこう》はもっとも大《おお》きい。つまり、ソニックは、よりによっていちばんキツイ速度《そくど》で走《はし》っている！

ソニックの体格《たいかく》とスピードから計算《けいさん》すると、空気抵抗《くうきていこう》の強《つよ》さは1・3t。ブレーキのかかった乗用車《じょうようしゃ》を押《お》してズルズル滑《すべ》らせるのに必要《ひつよう》な力《ちから》が、およそ500kgだ。大人《おとな》10人《にん》がかりでも、おそらく無理《むり》だろう。なのにソニックは、それを2台《だい》まとめて押《お》しまくる力《ちから》を出《だ》しながら走《はし》っていることになる。超人的《ちょうじんてき》な、いや超《ちょう》ハリネズミ的《てき》なハリネズミである。

これだけの空気抵抗《くうきていこう》と戦《たたか》いながら音速《おんそく》で走《はし》ると、1秒間《びょうかん》に1千《せん》キロカロリーを消費《しょうひ》する。これ

は、人間《にんげん》の大人《おとな》が半日間《はんにちかん》で消費《しょうひ》するエネルギー。それをたった1秒《びょう》で消費《しょうひ》しているはずなのに、なぜ疲《つか》れない!?

　そもそも、1千《せん》キロカロリーとは、脂肪《しぼう》に換算《かんさん》して120gだ。つまり、走《はし》り続《つづ》けるソニックは120gずつヤセていく。そう、たった1秒《びょう》ごとに!

◆体内《たいない》の温度《おんど》が15億《おく》℃!?

　もちろん、ソニックが走《はし》りながら痩《や》せ細《ほそ》っていく様子《ようす》はない。すると、走《はし》りながらエネルギーを補給《ほきゅう》していると考《かんが》えるしかないだろう。ハリネズミは、昆虫《こんちゅう》、カタツムリ、果実《かじつ》など食《た》べるが……。いやいや、ソニックは走《はし》りながら、そんな動植物《どうしょくぶつ》など食《た》べてはいない。

だとしたら、空気《くうき》からエネルギーを調達《ちょうたつ》している……ということだろうか？　空気《くうき》には、わずかに水素《すいそ》が含《ふく》まれる。水素《すいそ》は、酸素《さんそ》と反応《はんのう》すると、エネルギーを出《だ》す。ソニックが口《くち》を縦《たて》3㎝、横《よこ》6㎝の幅《はば》で開《あ》けるとしよう。秒速《びょうそく》340mで走《はし》るとき、口《くち》には1秒間《びょうかん》に0・48㎥の空気《くうき》が流《なが》れ込《こ》む。これに含《ふく》まれる水素《すいそ》から手《て》に入《い》れられるエネルギーは、脂肪《しぼう》0・065㎎分《ぶん》。絶望的《ぜつぼうてき》に足《た》りん！

ならば、空気《くうき》そのものを別《べつ》の物質《ぶっしつ》に作《つく》り変《か》える「核融合《かくゆうごう》」を行《おこな》っているのだろうか。核融合《かくゆうごう》は、太陽《たいよう》などの星《ほし》の内部《ないぶ》で行《おこな》われており、星《ほし》は核融合《かくゆうごう》のエネルギーで輝《かがや》いている。それを生物《せいぶつ》がやるのは想像《そうぞう》を絶《ぜっ》して大変《たいへん》なことだが、試《ため》しに計算《けいさん》してみると、おお、口《くち》から吸《す》い込《こ》んだ空気《くうき》の1千《せん》万分《まんぶん》の1で核融合《かくゆうごう》を行《おこな》えば、ソニックは秒速《びょうそく》340mで走《はし》り続《つづ》けられる。ただし、そのためには、体内《たいない》の温度《おんど》を15億《おく》℃に保《たも》たねばならない……！

なんだか、たいへんな話《はなし》になってきた。音速《おんそく》で走《はし》るには、生物《せいぶつ》を超越《ちょうえつ》した肉体《にくたい》と、エネルギー機構《きこう》が必要《ひつよう》だ。すると、おや？　疲労《ひろう》の原因物質《げんいんぶっしつ》が発生《はっせい》しないから、疲《つか》れることだけはない。やや
っ、ゲーム中《ちゅう》の事実《じじつ》にぴったり!?　いやいや、制作者《せいさくしゃ》の意図《いと》は、たぶん違《ちが》うと思《おも》います。

とっても気《き》になるマンガの疑問《ぎもん》

『鉄腕《てつわん》アトム』のお茶《ちゃ》の水博士《みずはかせ》の鼻《はな》はすごく巨大《きょだい》。生活《せいかつ》が不便《ふべん》じゃないですか？

現在《げんざい》の科学者《かがくしゃ》やロボット開発者《かいはつしゃ》のなかには、手塚治虫先生《てづかおさむせんせい》の『鉄腕《てつわん》アトム』に影響《えいきょう》されて育《そだ》ち、その道《みち》を志《こころざ》した人《ひと》が多《おお》いという。そんな『アトム』の科学観《かがくかん》を象徴《しょうちょう》していた作中《さくちゅう》の科学者《かがくしゃ》が、お茶《ちゃ》の水博士《みずはかせ》だった。

アトムを開発《かいはつ》したのはお茶《ちゃ》の水博士《みずはかせ》ではなく、天馬博士《てんまはかせ》。交通事故《こうつうじこ》で亡《な》くなった息子《むすこ》の代《か》わりに作《つく》った。ところが、天馬博士《てんまはかせ》はアトムが成長《せいちょう》しないことに腹《はら》を立《た》て（当《あ》たり前《まえ》なのに、なぜ怒《いか》る!?）、なんとサーカスに売《う》ってしまった！　そのアトムを引《ひ》き取《と》って人《ひと》の道《みち》を教《おし》え、その体《からだ》のメンテナンスを万全《ばんぜん》に行《おこな》ってきたのが、お茶《ちゃ》の水博士《みずはかせ》なのだ。アトムの望《のぞ》みを聞《き》いて、ロボット

の家族《かぞく》も作《つく》ってあげたし、10万馬力《まんばりき》のアトムを100万馬力《まんばりき》にパワーアップしたこともあった。そういうすごい人《ひと》だから、筆者《ひっしゃ》はもちろん心《こころ》から尊敬《そんけい》している。だが、同時《どうじ》にずっと気《き》になっていたことがある。お茶《ちゃ》の水博士《みずはかせ》の鼻《はな》って、あまりにデカくないか!?

◆顔《かお》よりも鼻《はな》がデカい！

お茶《ちゃ》の水博士《みずはかせ》の鼻《はな》は「立派《りっぱ》な鼻《はな》」というレベルを超《こ》えている。カタチといい大《おお》きさといい、ラグビーボールにそっくりで、もはや人間《にんげん》の鼻《はな》とは思《おも》えませんな。

ラグビーボールは、長《なが》いほうの直径《ちょっけい》が30㎝、短《みじか》いほうが19㎝。これに対《たい》し、博士《はかせ》の身長《しんちょう》を1m60㎝と仮定《かてい》して、その鼻《はな》の大《おお》きさをマンガのコマで計《はか》って計算《けいさん》すると、長《なが》いほうの直径《ちょっけい》が35㎝、短《みじか》いほうの直径《ちょっけい》が22㎝もある！　なんと、縦《たて》、横《よこ》とも、ラグビーボールよりも一回《ひとまわ》りデカイではないか。

日本人男性《にほんじんだんせい》の顔《かお》の大《おお》きさは、頭《あたま》のてっぺんから顎《あご》までが24㎝、顔《かお》の左右《さゆう》の幅《はば》が18㎝ほどだ。つまり、右《みぎ》のようなサイズの鼻《はな》が顔《かお》の中心《ちゅうしん》についていたら、間違《まちが》いなく前《まえ》が見《み》えない！　顔《かお》の左右《さゆう》の幅《はば》よりも鼻《はな》のほうが大《おお》きいのだから。

ああ、筆者《ひっしゃ》は博士《はかせ》の運転免許証《うんてんめんきょしょう》を見《み》てみたい。その写真《しゃしん》には、巨大《きょだい》な鼻《はな》と、光《ひか》った頭頂部《とうちょうぶ》と、

耳《みみ》の上《うえ》のタワシのような白髪《しらが》しか写《うつ》っていないのではないだろうか。

ここまで鼻《はな》が大《おお》きいと、誰《だれ》かと向《む》かい合《あ》って話《はな》すときも、お茶《ちゃ》の水博士《みずはかせ》は、自分《じぶん》の鼻《はな》しか見《み》えないはずだ。相手《あいて》も、博士《はかせ》の鼻《はな》しか見《み》えないだろう。会話《かいわ》では、相手《あいて》の目《め》を見《み》て話《はな》すことが大切《たいせつ》といわれるが、どちらもそれは不可能《ふかのう》。お互《たが》いの表情《ひょうじょう》さえわからないまま、会話《かいわ》を続《つづ》けるしかないと思《おも》われる。うまくコミュニケーションできるか、とっても心配《しんぱい》……。

◆鼻《はな》の構造《こうぞう》を探《さぐ》ると……!?

この鼻《はな》、構造《こうぞう》はどうなっているのだろう？

ヒトの鼻《はな》は、眉間《みけん》から鼻《はな》の先端《せんたん》にかけての「鼻筋《はなすじ》」と、鼻《はな》の穴《あな》の外壁《がいへき》になっている「小鼻《こばな》」で構成《こうせい》される。

博士《はかせ》の鼻《はな》をよくよく観察《かんさつ》すると、おおっ、小鼻《こばな》の大《おお》きさは常人《じょうじん》とほとんど変《か》わらない。ならば、鼻《はな》の穴《あな》の大《おお》きさも一般人《いっぱんじん》と同《おな》じと考《かんが》えていいだろう。

ということは、あの巨大《きょだい》な鼻《はな》は、ほぼすべてが鼻筋《はなすじ》で、その内部《ないぶ》に空洞《くうどう》はほとんどないことになる。人間《にんげん》の鼻筋《はなすじ》は、骨《ほね》と皮膚《ひふ》と脂肪《しぼう》でできている。その骨《ほね》はたいへん薄《うす》いから、つまり博士《はかせ》の鼻《はな》はほとんどが脂肪《しぼう》。早《はや》い話《はなし》が、お茶《ちゃ》の水博士《みずはかせ》は「鼻《はな》がとっても太《ふと》った方《かた》」なのだ。

こうなると、重量《じゅうりょう》もハンパではないはずだ。長径《ちょうけい》35㎝、短径《たんけい》22㎝のラグビーボール状《じょう》の脂肪《しぼう》の重《おも》さを計算《けいさん》してみると……うわっ、8・3㎏。2L入《い》りのペットボトル4本分《ほんぶん》である！

こんな重《おも》いモノが顔《かお》についていたら、日々《ひび》の暮《く》らしが大変《たいへん》だ。正面《しょうめん》を向《む》いているだけで、首《くび》から背中《せなか》にかけての筋肉《きんにく》に大《おお》きな負荷《ふか》がかかり、重篤《じゅうとく》な肩凝《かたこ》りに悩《なや》まされるだろう。散歩《さんぽ》をしていても、ついつい顔《かお》を下《した》に向《む》けたくなる。すれ違《ちが》う人《ひと》に、何《なに》をそんなにガッカリしているのかと、心配《しんぱい》されてしまうかも。

◆食《た》べても寝《ね》ても疲《つか》れる！

この巨大《きょだい》な鼻《はな》を24時間《じかん》365日《にち》、顔《かお》にくっつけている博士《はかせ》には、どんな日常《にちじょう》が待《ま》っているのだろうか。

まず食事中《しょくじちゅう》は、テーブルのどこに何《なに》があるかさえわからない。鏡《かがみ》などを見《み》ながら、食器《しょっき》をなんとか手《て》に取《と》れても、そのあとが大変《たいへん》だ。たとえば牛乳《ぎゅうにゅう》は、普通《ふつう》はカップを傾《かたむ》けて飲《の》むが、博士《はかせ》の場合《ばあい》はそれができない。巨大《きょだい》な鼻《はな》がカップの傾《かたむ》きを阻《はば》んでしまうから、自分《じぶん》の頭全体《あたまぜんたい》をグ～ッとのけぞらせるしかない。

それはすなわち、顔《かお》についた8・3kgの物体《ぶったい》を、首《くび》と背筋《はいきん》の力《ちから》で頭上《ずじょう》まで持《も》ち上《あ》げるということだ。しかも、一回《いっかい》の食事《しょくじ》で、このキツイ動作《どうさ》を何度《なんど》も何度《なんど》もやらねばならないだろう。食《た》べ終《お》える頃《ころ》には、激《はげ》しい運動《うんどう》のせいでお腹《なか》がすいているかもしれない。

何《なに》よりも気《き》をつけていただきたい、と筆者《ひっしゃ》が思《おも》うのは、お風呂《ふろ》である。お湯《ゆ》のなかでリラックスし、首《くび》の力《ちから》を抜《ぬ》こうものなら、たちまち顔面《がんめん》が水没《すいぼつ》して窒息《ちっそく》してしまう。一日《いちにち》の疲《つか》れを癒《いや》す入浴《にゅうよく》こそ、お茶《ちゃ》の水博士《みずはかせ》にとっては最大《さいだい》に緊張《きんちょう》する一瞬《いっしゅん》となる。

さらに就寝中《しゅうしんちゅう》も、仰向《あおむ》けでは鼻《はな》が重《おも》くて寝《ね》られたものではない。

その結果《けっか》、博士《はかせ》は横向《よこむ》きに寝《ね》ることになるが、人間《にんげん》は同《おな》じ姿勢《しせい》を続《つづ》けると疲《つか》れてくる。だから、一晩《ひとばん》に何度《なんど》も寝返《ねがえ》りを打《う》つのだ。その寝返《ねがえ》りが、博士《はかせ》には至難《しなん》の業《わざ》。ペットボトル4本分《ほんぶん》の重量《じゅうりょう》物《ぶつ》を顔面《がんめん》に固定《こてい》していては、寝返《ねがえ》りなど容易《ようい》に打《う》てず、無理《むり》に打《う》つと体力《たいりょく》を消耗《しょうもう》して、たっぷり眠《ねむ》れば眠《ねむ》るほど、疲労《ひろう》は深《ふか》くなっていく……。

いやはや、想像《そうぞう》すればするほど大変《たいへん》だ。こんな博士《はかせ》がのんびり暮《く》らすには、アクアラングをつけて水中《すいちゅう》で生活《せいかつ》するか、無重力《むじゅうりょく》の宇宙《うちゅう》に住居《じゅうきょ》を構《かま》えるか……。鼻《はな》が大《おお》きいというだけで、これほどの艱難辛苦《かんなんしんく》が待《ま》ち受《う》けるとは思《おも》いませんでした。

とっても気《き》になるマンガの疑問《ぎもん》

『るろうに剣心《けんしん》』の志々雄真実《ししおまこと》は体温調節《たいおんちょうせつ》ができず、体《からだ》が燃《も》えました。あり得《え》ることですか？

厚生労働省《こうせいろうどうしょう》の「人口動態統計月報年計《じんこうどうたいとうけいげっぽうねんけい》」(平成《へいせい》25年《ねん》)によれば、日本人《にほんじん》の死因《しいん》の第《だい》1位《い》は「ガン」で、全体《ぜんたい》の29％を占《し》めている。続《つづ》いて「心臓病《しんぞうびょう》」が16％、「肺炎《はいえん》」が10％、「脳卒中《のうそっちゅう》」が9％……。日本人《にほんじん》の10人《にん》に6人《にん》は、これら4つのどれかで亡《な》くなるのだ。

それらに比《くら》べて、びっくりするほど珍《めずら》しい死《し》に方《かた》をしたのが、『るろうに剣心《けんしん》』の志々雄真実《ししおまこと》である。功名心《こうみょうしん》や支配欲《しはいよく》にかられて人《ひと》を斬《き》りまくる男《おとこ》で、主人公《しゅじんこう》・緋村剣心《ひむらけんしん》とは、生《い》き方《かた》も剣《けん》の使《つか》い方《かた》も対極《たいきょく》にある強敵《きょうてき》だ。

その死《し》に方《かた》を紹介《しょうかい》する前《まえ》に、背景《はいけい》を説明《せつめい》しよう。強《つよ》すぎる野心《やしん》を仲間《なかま》に警戒《けいかい》された志々雄《ししお》は、不意討《ふいう》ちに遭《あ》って体《からだ》に油《あぶら》をかけられ、火《ひ》をつけられた。大《おお》ヤケドを負《お》いながらも命《いのち》を取《と》りとめた彼《かれ》は、資金《しきん》と兵力《へいりょく》を集《あつ》めて、政府《せいふ》を相手《あいて》とする復讐戦争《ふくしゅうせんそう》を企《くわだ》てる。だが、ヤケドによって全身《ぜんしん》の汗腺《かんせん》を破壊《はかい》されてしまったため、平常《へいじょう》から体温《たいおん》が高《たか》く、医師《いし》に「全力運動《ぜんりょくうんどう》は15分《ふん》まで」と制限《せいげん》されていた。

というわけで、いよいよ死《し》に方《かた》です。ついに迎《むか》えた最終決戦《さいしゅうけっせん》、志々雄《ししお》と剣心《けんしん》たちとの死闘《しとう》は15分《ふん》を超《こ》えた。すると、志々雄《ししお》の体《からだ》の脂《あぶら》と燐分《りんぶん》が自然発火《しぜんはっか》！　全身《ぜんしん》から上《あ》がる劫火《ごうか》にその身《み》を焼《や》かれ、彼《かれ》は息絶《いきた》えてしまったのであった。

う～む、すごい。法医学者《ほういがくしゃ》が死亡診断書《しぼうしんだんしょ》に何《なん》と書《か》くのか、困《こま》りそうな死《し》に方《かた》ですな。

呑気《のんき》な心配《しんぱい》をしている場合《ばあい》ではない。モノスゴク凄絶《せいぜつ》な最期《さいご》だと思《おも》うが、こういう現象《げんしょう》は実際《じっさい》に起《お》こり得《え》るのだろうか？

◆「体温《たいおん》が上昇《じょうしょう》して発火《はっか》」は正《ただ》しいか？

人間《にんげん》の平熱《へいねつ》は、36・5℃くらいだ。これが42℃を超《こ》えると、呼吸《こきゅう》や消化《しょうか》などの生命活動《せいめいかつどう》を進《すす》める酵素《こうそ》がうまく働《はたら》かなくなり、命《いのち》が危《あぶ》なくなる。だから人間《にんげん》の体《からだ》は、運動《うんどう》などをして体温《たいおん》が上《あ》がると、汗《あせ》を流《なが》す。汗《あせ》が蒸発《じょうはつ》するときに体《からだ》から熱《ねつ》を奪《うば》うことを利用《りよう》して、体温《たいおん》を下《さ》げるのだ。よくできていますなあ。

ところが、汗腺《かんせん》を破壊《はかい》された志々雄《ししお》は、これができなくなっていた。劇中《げきちゅう》の医師《いし》が「全力運動《ぜんりょくうんどう》は15分《ふん》まで」と釘《くぎ》を刺《さ》していたのは、激《はげ》しい運動《うんどう》を続《つづ》けると体温《たいおん》が危険《きけん》な領域《りょういき》にまで上《あ》がってしまうからだ。

そんなカラダで、志々雄《ししお》は激《はげ》しすぎるほどに戦《たたか》った。剣心《けんしん》を火薬《かやく》でふっ飛《と》ばし、斎藤一《さいとうはじめ》、相楽左之助《さがらさのすけ》、四乃森蒼紫《しのもりあおし》を続《つづ》けざまに倒《たお》す。剣心《けんしん》が再《ふた》び立《た》ち上《あ》がったところで、すでに15分《ふん》が経《た》っていた。そこから剣心《けんしん》と壮絶《そうぜつ》に斬《き》り合《あ》い、トドメの一撃《いちげき》を見舞《みま》おうとした瞬間《しゅんかん》、全身《ぜんしん》が炎上《えんじょう》したのである。

確《たし》かに、医者《いしゃ》にも止《と》められていたし、体温《たいおん》が上《あ》がると命《いのち》が危険《きけん》なのはわかる。だが、体《からだ》が発火《はっか》炎上《えんじょう》するほど体温《たいおん》が上《あ》がるとは、オドロキではないか。そうなった理由《りゆう》について、志々雄《ししお》の配《はい》下《か》・佐渡島方治《さどじまほうじ》は「異常高温《いじょうこうおん》が自分《じぶん》の脂《あぶら》と燐分《りんぶん》を燃《も》やした」と説明《せつめい》していたが、これはどうなのだろう？

人間《にんげん》の体内《たいない》に、脂《あぶら》は「体脂肪《たいしぼう》」などの形《かたち》で含《ふく》まれる。体《からだ》の引《ひ》き締《し》まった志々雄《ししお》でも、脂肪《しぼう》は体《たい》重《じゅう》の10％近《ちか》くあるはずだ。また、リンも骨《ほね》や歯《は》や細胞膜《さいぼうまく》などに含《ふく》まれている。実《じつ》は、リンは人体《じんたい》で5番目《ばんめ》に多《おお》い元素《げんそ》であり、その割合《わりあい》は体重《たいじゅう》の1％ほどもある。

脂肪《しぼう》やリンは、確《たし》かに燃《も》える物質《ぶっしつ》だ。一定《いってい》の温度《おんど》より高《たか》くなれば、火《ひ》の気《け》がなくても、周囲《しゅうい》の酸素《さんそ》と反応《はんのう》して、炎《ほのお》を上《あ》げる。マッチの発火薬《はっかやく》にはリンが含《ふく》まれているし、いまでは否定《ひてい》されているが、昔《むかし》は墓場《はかば》でユラユラ燃《も》えると伝《つた》えられる人魂《ひとだま》も、埋葬《まいそう》された人《ひと》の体《からだ》に含《ふく》まれていたリンが、夏《なつ》の暑《あつ》い夜《よる》、温度《おんど》が上《あ》がって燃《も》えているのではないかといわれたほどだ。

また、脂肪《しぼう》と同《おな》じ油脂《ゆし》の仲間《なかま》であるディーゼル燃料《ねんりょう》も、温度《おんど》が上《あ》がることで燃焼《ねんしょう》し、バスやトラックを動《うご》かしている。

このような事実《じじつ》に照《て》らせば、体温《たいおん》が上《あ》がりすぎると、体内《たいない》の脂肪《しぼう》やリンが燃《も》え上《あ》がっても不思《ふし》議《ぎ》ではないと思《おも》われる。

◆志々雄《ししお》の体温《たいおん》は260℃に!?

だとしても、脂《あぶら》とリンが燃《も》えたからには、これらが発火《はっか》する温度《おんど》にまで、志々雄《ししお》の体温《たいおん》は上昇《じょうしょう》したことになる。それはいったい何《なん》℃なのだろうか。

発火《はっか》とは、空気《くうき》が充分《じゅうぶん》にあるとき、物質《ぶっしつ》が一定《いってい》の温度《おんど》を超《こ》えると、火《ひ》の気《け》がなくても燃《も》え始《はじ》める現象《げんしょう》のことだ。その温度《おんど》を「発火点《はっかてん》」といい、物質《ぶっしつ》によって異《こと》なる。

脂《あぶら》の発火点《はっかてん》は、ディーゼル燃料《ねんりょう》では225℃だが、人体《じんたい》に含《ふく》まれる動物性油脂《どうぶつせいゆし》の場合《ばあい》は400

℃と高《たか》い。また、リンには赤《せき》リン、黄《おう》リン、白《はく》リンといろいろな種類《しゅるい》があるが、志々雄《ししお》が置《お》かれた条件《じょうけん》から考《かんが》えると、彼《かれ》の体内《たいない》で燃《も》えたのは赤《せき》リンだった可能性《かのうせい》が高《たか》い。その発火点《はっかてん》は260℃である。

ここから考《かんが》えると、志々雄《ししお》の体《からだ》には次《つぎ》のことが起《お》こったのではないだろうか。

①体温《たいおん》が260℃に上昇《じょうしょう》、②赤《せき》リンが発火《はっか》、③その「火《ひ》の気《け》」によって脂《あぶら》も燃《も》えた。

つまり、志々雄《ししお》は激《はげ》しく戦《たたか》って体温《たいおん》が260℃に上《あ》がったから、炎上《えんじょう》したわけだ。おお、科学《かがく》的《てき》にナットクできましたな〜。

◆そんな運動《うんどう》したら、誰《だれ》でも死《し》ぬ！

いやいや、そう簡単《かんたん》にナットクしてはいかんだろう。

たとえ汗腺《かんせん》が破壊《はかい》されていようとも、体温《たいおん》260℃とは、あまりにも異常《いじょう》だ。どれほど激《はげ》しい運動《うんどう》をすれば、体温《たいおん》がそこまで上《あ》がるのか。

これは「志々雄《ししお》の体内《たいない》で、どれだけの熱《ねつ》が発生《はっせい》したか」から推測《すいそく》できる。まず、志々雄《ししお》の体重《たいじゅう》は59kgだという。そして、志々雄《ししお》の額《ひたい》に手《て》を当《あ》てた方治《ほうじ》は、熱《あつ》さに驚《おどろ》いたが、ヤケドはしなかった。ここから、志々雄《ししお》の普段《ふだん》の体温《たいおん》を50℃と考《かんが》えよう。これが260℃に上《あ》がったということは、体温《たいおん》が２１０℃も上《あ》がったことになる。以上《いじょう》から計算《けいさん》すると、志々雄《ししお》の体内《たいない》で発生《はっせい》した熱《ねつ》は１万《まん》３００キロカロリーになる。

また、人間《にんげん》が運動《うんどう》するとき、体内《たいない》の栄養分《えいようぶん》から生《う》み出《だ》したエネルギーは、45％が筋肉《きんにく》を動《うご》かすのに使《つか》われ、55％が熱《ねつ》に変《か》わる。その熱《ねつ》が１万《まん》３００キロカロリーということは、運動《うんどう》に使《つか》われたエネルギーは、８４００キロカロリーということになる。

それは具体的《ぐたいてき》に、どんな運動《うんどう》なのか。志々雄《ししお》が20分《ぷん》くらい戦《たたか》っていたと考《かんが》えると、その時間歩《じかんある》き続《つづ》けた場合《ばあい》の消費《しょうひ》エネルギーは60キロカロリーほど。自転車《じてんしゃ》を漕《こ》ぎ続《つづ》けたとしても１５０キロカロリーくらいである。８４００キロカロリーには全然足《ぜんぜんた》りない。

８４００キロカロリーを20分《ぷん》で消費《しょうひ》するような運動《うんどう》とは、たとえば「志々雄《ししお》は３２０ｍ彼方《かなた》から、１秒《びょう》で走《はし》ってくるような激《はげ》しい運動《うんどう》をした。しかもそれを20分間《ぷんかん》、休《やす》みなく」というものだ。走《はし》る距離《きょり》の合計《ごうけい》は38万《まん》４千《せん》ｍになる！

暴《あば》れすぎだ！　そんなに激《はげ》しい運動《うんどう》をしたら、汗腺《かんせん》があったってなくたって、間違《まちが》いなく死《し》ぬって！

それほどの激闘《げきとう》を続《つづ》けながら、体温《たいおん》が２６０℃になるまでは死《し》ななかった志々雄真実《ししおまこと》。このヒト、本当《ほんとう》にすごいんだなあ。

筆者《ひっしゃ》が思《おも》うに、志々雄《ししお》は体温《たいおん》が100℃ぐらいに上《あ》がった時《じ》点《てん》で、剣心《けんしん》に抱《だ》きつけばよかったのではないか。これには、いかに人斬《ひとき》り抜刀斎《ばっとうさい》でも耐《た》えられず、志々雄《ししお》は命《いのち》を失《うしな》わずに勝利《しょうり》できた可能性《かのうせい》がある。

そのうえ改《あらた》めて思《おも》い知《し》らされるのは、こんなヤツと戦《たたか》って、勝《か》った剣心《けんしん》の強《つよ》さである。敵《てき》も味方《みかた》も、恐《おそ》るべき男《おとこ》たちでござるよ。

とっても気《き》になるゲームの疑問《ぎもん》

『スーパーマリオ』のマリオはキノコを食《た》べて大《おお》きくなるけど、いったいなぜですか？

マリオの初登場《はつとうじょう》は１９８１年《ねん》、『ドンキーコング』というゲームだった。その数年後《すうねんご》にはファミコン版《ばん》の『スーパーマリオブラザーズ』が出《で》て、大《だい》ヒット。以来《いらい》、マリオはさまざまなゲームに登場《とうじょう》し続《つづ》け、いまや「世界《せかい》でいちばん有名《ゆうめい》なゲームキャラクター」として、ギネスブックにも載《の》っている。日本《にほん》が世界《せかい》に誇《ほこ》れるヒゲおじさんなのだ。

彼《かれ》の特徴《とくちょう》は、小太《こぶと》りで、鼻《はな》が大《おお》きく、ヒゲを生《は》やしている……などいくつもあるが、筆者《ひっしゃ》が大《だい》好《す》きなのは「キノコを食《た》べると巨大化《きょだいか》する」こと。ゲームによって、巨大化《きょだいか》にもいろいろなバージョンがあるが、『スーパーマリオブラザーズ』の画面《がめん》で計《はか》ったところ、キノコを食《た》べると、それまでのジャスト2倍《ばい》に巨大化《きょだいか》していた。

普段《ふだん》のマリオの身長《しんちょう》は1m55㎝らしいが、やや小太《こぶと》りだから体重《たいじゅう》は80㎏と考《かんが》えよう。すると、巨大《きょだい》なスーパーマリオは、身長《しんちょう》3m10㎝。縦《たて》も横《よこ》も高《たか》さも2倍《ばい》となるから、体重《たいじゅう》は8倍《ばい》となって、640㎏！　驚異《きょうい》の大巨漢《だいきょかん》である。

しかし、キノコを食《た》べて、2倍《ばい》に巨大化《きょだいか》。そんなことがあり得《え》るのだろうか？

◆キノコには栄養《えいよう》がない！

人間《にんげん》が巨大化《きょだいか》したからといって、それ自体《じたい》は驚《おどろ》くことではない。

あなたも私《わたし》も、生《う》まれたときは身長《しんちょう》が50㎝しかなかった。身長《しんちょう》が150㎝になった時点《じてん》で、そこから3倍《ばい》に巨大化《きょだいか》するのだから、拡大率《かくだいりつ》はマリオ以上《いじょう》。われわれとマリオの違《ちが》いは、巨大化《きょだいか》のスピードだけである。

とはいえ、そのスピードが尋常《じんじょう》ではない。身長《しんちょう》50㎝で生《う》まれた子《こ》どもが、2倍《ばい》の1mになるのは4歳前後《さいぜんご》。通常《つうじょう》は4年《ねん》もかかる2倍《ばい》への巨大化《きょだいか》が、マリオの場合《ばあい》は軽《かろ》やかな効果音《こうかおん》とともに、瞬時《しゅんじ》に起《お》こるのだから。

生物《せいぶつ》の活動《かつどう》や成長《せいちょう》は、さまざまな生化学反応《せいかがくはんのう》の連《つら》なりだ。生化学反応《せいかがくはんのう》とは、生物《せいぶつ》の体《からだ》のなかに含《ふく》まれる物質《ぶっしつ》が変化《へんか》を起《お》こすことで、「酵素《こうそ》」という物質《ぶっしつ》によってコントロールされる。マリオの場合《ばあい》は、ゲームに登場《とうじょう》するキノコに、生物《せいぶつ》の成長速度《せいちょうそくど》を驚異的《きょういてき》に速《はや》める酵素《こうそ》が含《ふく》まれている……と考《かんが》えるしかないでしょうなあ。

それでも、成長《せいちょう》するには栄養分《えいようぶん》が必要《ひつよう》だ。キノコ1本《ぽん》に、身長《しんちょう》が2倍《ばい》にも成長《せいちょう》できる栄養分《えいようぶん》が含《ふく》まれているのだろうか。

たとえば、シイタケの栄養価《えいようか》(体《からだ》を動《うご》かすエネルギー)は、100gあたり18キロカロリーしかない。もっとも少《すく》ないのはマッシュルームで、わずかに11キロカロリー。ご飯《はん》が同《おな》じ重《おも》さあたり150キロカロリー、牛《ぎゅう》ロース肉《にく》が200キロカロリーだから、キノコはケタ違《ちが》いに低《ひく》い。『糖《とう》尿病食事療法《にょうびょうしょくじりょうほう》のための食品交換表《しょくひんこうかんひょう》　第5版《だいはん》』(日本糖尿病協会《にほんとうにょうびょうきょうかい》/文光堂《ぶんこうどう》　1993年《ねん》)という本《ほん》は、糖尿病《とうにょうびょう》の患者《かんじゃ》に食事《しょくじ》の量《りょう》を制限《せいげん》するように指導《しどう》しているが、この本《ほん》にさえ「海草《かいそう》、きのこ、こんにゃくには食《た》べる量《りょう》の制限《せいげん》はありません」と書《か》かれている(同書《どうしょ》70ページ)。

もちろん、栄養価《えいようか》が低《ひく》いからといって、体《からだ》に悪《わる》いわけではない。キノコはビタミンB_1やビタミンDが豊富《ほうふ》で、食物繊維《しょくもつせんい》もたくさん含《ふく》まれている。体《からだ》にいい食《た》べ物《もの》なのだ。特《とく》に食物繊維《しょくもつせんい》は、ダイエットにも効果《こうか》があり……ええっ、ダイエット!?　これから巨大化《きょだいか》しようというのに、ヤセてどーする!?

◆わあ、キノコ代《だい》で破産《はさん》だあ!

幸《さいわ》いなことに、キノコにはタンパク質《しつ》が含《ふく》まれている。シイタケ100gあたり3gほどだ。タンパク質《しつ》は、生物《せいぶつ》の体《からだ》を作《つく》る重要《じゅうよう》な物質《ぶっしつ》。人体《じんたい》は65%が水《みず》でできているが、残《のこ》り35%のうち20%はタンパク質《しつ》だ。

つまりキノコを食《た》べれば、栄養価《えいようか》は少《すく》なくても、体《からだ》を大《おお》きくすることはできるはず。体重《たいじゅう》80kgのマリオが640kgのスーパーマリオになると、体重《たいじゅう》は560kg増《ふ》える。そのうち112kgがタンパク質《しつ》だ。巨大化《きょだいか》キノコがシイタケと同《おな》じ100gあたり3gのタンパク質《しつ》を含有《がんゆう》しているとすれば、スーパーキノコは、重《おも》さが実《じつ》に3・7tもあることになる!

あのキノコ、そんなに重《おも》かったの? ゲームの画面《がめん》でマリオの身長《しんちょう》と比較《ひかく》すると、スーパーキノコの直径《ちょっけい》は2・7mもある。家《いえ》の冷蔵庫《れいぞうこ》からシイタケを取《と》り出《だ》して計《はか》ってみると、傘《かさ》の直径《ちょっけい》は6㎝で、重《おも》さは18g。このシイタケを単純《たんじゅん》にスーパーキノコの大《おお》きさに拡大《かくだい》すると、重《おも》さは1・6tになる。スーパーキノコは、シイタケを拡大《かくだい》したときより、傘《かさ》も厚《あつ》く、軸《じく》も太《ふと》いから、確《たし》かにそのぐらいの重量《じゅうりょう》はあるかも……。

などと納得《なっとく》しながらも、3・7tのキノコというモノは容易《ようい》に想像《そうぞう》できないので、代《か》わりにシイタケを食《た》べる場合《ばあい》を考《かんが》えよう。自宅《じたく》にあったシイタケは1本《ぽん》18gだから、3・7tとは21万《まん》個《こ》！　6個入《こい》りで138円《えん》だったので、21万個《まんこ》では3万《まん》5千《せん》パック。金額《きんがく》にして483万円《まんえん》になる。もひ～、高《たか》い！

こうなると、食《た》べるマリオも大変《たいへん》だが、食《く》われるほうのキノコも気《き》の毒《どく》だ。シイタケは、徳島《とくしま》、岩手《いわて》、北海道《ほっかいどう》などで、1年《ねん》に7万《まん》t以上《いじょう》も採《と》れるからまだマシだが、これが国産《こくさん》マツタケだったら、もう大変《たいへん》。2011年《ねん》の生産高《せいさんだか》は、全国《ぜんこく》の合計《ごうけい》でわずかに36t。マリオが9回巨大化《かいきょだいか》しただけで、食《た》べ尽《つ》くされてしまうのだ。ゲーム1回《かい》でそのくらいの巨大化《きょだいか》はするから、日本中《にほんじゅう》のマツタケがスッカラカン！　その価格《かかく》は18億円《おくえん》！

◆巨大化《きょだいか》する必要《ひつよう》があるのか

マリオの巨大化《きょだいか》を現実的《げんじつてき》に考《かんが》えると、莫大《ばくだい》なキノコ代《だい》がかかるという意外《いがい》な話《はなし》になってきたが、筆者《ひっしゃ》はそもそも疑問《ぎもん》である。この人《ひと》、巨大化《きょだいか》する必要《ひつよう》があるのだろうか？

マリオがレンガの下《した》でジャンプして頭《あたま》をぶつけると、レンガは高《たか》さの半分《はんぶん》ほど持《も》ち上《あ》がる。レンガの縦《たて》と横《よこ》は、マリオの身長《しんちょう》と同《おな》じだから1m55㎝。もし奥行《おくゆ》きも同《おな》じとすれば、このレンガ、なんと6・3tもの重《おも》さがあることになる。そんな物体《ぶったい》が77・5㎝も跳《と》び上《あ》がったということは、マリオは実《じつ》に時速《じそく》1100㎞でぶつかったハズ……という計算《けいさん》になってしまう。レンガがないと

ころで同《おな》じジャンプをすれば、マリオはぐんぐん上昇《じょうしょう》していって、到達高度《とうたつこうど》はなんと5千《せん》m。富士山《ふじさん》を楽々《らくらく》と跳《と》び越《こ》せるジャンプ力《りょく》だあ！

こんなに強《つよ》いヒト、わざわざ巨大化《きょだいか》しなくたって、充分《じゅうぶん》に強《つよ》いと思《おも》う。それでもなお巨大化《きょだいか》するのだから、鬼《おに》に金棒《かなぼう》、マリオにキノコ。火《ひ》を吹《ふ》くクッパ大《だい》王《おう》を倒《たお》せるのも、当然《とうぜん》かもしれません。

『超特急《ちょうとっきゅう》ヒカリアン』では、新幹線《しんかんせん》がロボットに変身《へんしん》します。乗客《じょうきゃく》は無事《ぶじ》でしょうか?

仕事柄《しごとがら》、新幹線《しんかんせん》に乗《の》ることが多《おお》いのだが、あれは乗《の》るたびに胸《むね》が躍《おど》るスバラシイ列車《れっしゃ》ですなあ。時速《じそく》300㎞前後《ぜんご》のすごいスピードで走《はし》り、乗《の》り心地《ごこち》もよく、大《おお》きな事故《じこ》を起《お》こしたこともない。開業《かいぎょう》した半世紀前《はんせいきまえ》には「夢《ゆめ》の超特急《ちょうとっきゅう》」と呼《よ》ばれていたが、筆者《ひっしゃ》はいまでもそう思《おも》っている。

そんな新幹線《しんかんせん》が、なんとロボットに変身《へんしん》するアニメがあった。1990年代《ねんだい》の終《お》わりに放送《ほうそう》された『超特急《ちょうとっきゅう》ヒカリアン』というアニメで、暗黒《あんこく》ブラッチャー星人《せいじん》が事件《じけん》を起《お》こすと、普段《ふだん》は乗《じょう》客《きゃく》を運《はこ》んでいる新幹線《しんかんせん》が、戦《たたか》うロボットに変身《へんしん》するのだ。おお〜っ、立《た》ち上《あ》がれ新幹線《しんかんせん》! 戦《たたか》え、正義《せいぎ》のために!

いやいや、新幹線《しんかんせん》が立《た》ち上《あ》がったり、正義《せいぎ》のために戦《たたか》ったりしたらマズイだろう。その直前《ちょくぜん》まで、普通《ふつう》に乗客《じょうきゃく》を乗《の》せていたのだ。ヒカリアンが出動《しゅつどう》すると、乗《の》っているお客《きゃく》さんはどうなってしまうのか!? 本稿《ほんこう》ではこの問題《もんだい》を科学的《かがくてき》に心配《しんぱい》したい。

◆先端部《せんたんぶ》がパカッと外《はず》れたら？

このアニメの主人公《しゅじんこう》は、３００系新幹線《けいしんかんせん》からロボットに変身《へんしん》する「ヒカリアンのぞみ」。放送《ほうそう》当時《とうじ》は、まだＮ《エヌ》７００系《けい》などは開発《かいはつ》されていなかったのだ。時代《じだい》を感《かん》じますなあ。

ヒカリアンには他《ほか》に、１００系《けい》のひかり隊長《たいちょう》、２００系《けい》のやまびこ、４００系《けい》のつばさ、５００系《けい》のウエスト、０系《けい》のこだ爺《じい》などがいるが、いずれも宇宙《うちゅう》から来《き》たヒカリアン星人《せいじん》が新幹線《しんかんせん》と合体《がったい》した姿《すがた》。暗黒《あんこく》ブラッチャー星人《せいじん》と戦《たたか》いながらも、通常《つうじょう》はＪＲの線路《せんろ》を他《ほか》の電車《でんしゃ》といっしょに走《はし》っている。だから厳密《げんみつ》にいえば、彼《かれ》らはわれわれが利用《りよう》している東海道新幹線《とうかいどうしんかんせん》などの車両《しゃりょう》と同《おな》じではないのだが、お客《きゃく》さんを乗《の》せて走《はし》っている以上《いじょう》、突然《とつぜん》ロボットに変身《へんしん》しちゃったら、やっぱり無事《ぶじ》では済《す》まないはずだ。

ヒカリアンの変身《へんしん》は、こんなふうに行《おこな》われる。まず先頭車両《せんとうしゃりょう》の先端《せんたん》が、運転席《うんてんせき》と客室《きゃくしつ》の境目《さかいめ》あたりから分離《ぶんり》して、「ヒカリア～ン、チェンジ！」と叫《さけ》ぶと、運転席《うんてんせき》の窓《まど》が上《あ》がってつぶらな瞳《ひとみ》が現《あらわ》れる。続《つづ》いて左右《さゆう》のドアから腕《うで》が出《で》て、車体《しゃたい》の底《そこ》からは足《あし》が生《は》えて、見事《みごと》なロボットになる。ところが、その体《からだ》は小学生《しょうがくせい》くらいの大《おお》きさ！　ビックリするが、とにかくこれで変身完了《へんしんかんりょう》だ。おお、ロボットとして立《た》ち上《あ》がるのは、運転席《うんてんせき》の部分《ぶぶん》だけ。お客《きゃく》さんを乗《の》せたまま立《た》ち上《あ》がったり、敵《てき》と戦《たたか》ったりするわけではないのだ。よかったよかった。

などと胸《むね》をなでおろしている場合《ばあい》なのか。ヒカリアンは走《はし》りながら変身《へんしん》したりしていたが、走《そう》行中《こうちゅう》に車両《しゃりょう》の先端部《せんたんぶ》がパカッと外《はず》れたら、大変《たいへん》なことになる。

新幹線《しんかんせん》は、先頭《せんとう》が流線型《りゅうせんけい》だからこそ、空気抵抗《くうきていこう》が少《すく》なくなり、同時《どうじ》に車体《しゃたい》を線路《せんろ》に押《お》しつける力《ちから》が働《はたら》いて、時速《じそく》３００㎞もの超《ちょう》スピード運行《うんこう》できるのだ。なのに、大事《だいじ》な流線型《りゅうせんけい》の部分《ぶぶん》が、突《とつ》然《ぜん》なくなってしまったら、残《のこ》された車両《しゃりょう》にはすさまじい勢《いきお》いで空気《くうき》がぶつかってくる！

その空気《くうき》がブレーキとなり、車両《しゃりょう》は急減速《きゅうげんそく》。中《なか》の乗客《じょうきゃく》は前方《ぜんぽう》に投《な》げ出《だ》される。それだけでは済《す》まず、おそらく車体《しゃたい》が浮《う》き上《あ》がって脱線《だっせん》するだろう。時速《じそく》３００㎞で走《はし》る新幹線《しんかんせん》が脱線《だっせん》したら、どれほどの大惨事《だいさんじ》になることか……。

◆それだけはやらないで！

アニメの画面《がめん》を細《こま》かく観察《かんさつ》すると、さらに心配《しんぱい》なことがある。あまり目立《めだ》たないが、分離《ぶんり》した

ロボット・ヒカリアンには、車輪《しゃりん》がついているのだ。

新幹線《しんかんせん》の各車両《かくしゃりょう》の前後《ぜんご》には、4個《こ》1組《くみ》の車輪《しゃりん》がある。先頭車両《せんとうしゃりょう》では、そのうち1組《くみ》がちょうど運転席《うんてんせき》の下《した》に位置《いち》しているから、ヒカリアンは分離《ぶんり》の際《さい》に、この車輪《しゃりん》を持《も》っていくのだと思《おも》われる。それはものすごくマズイ!

2組《くみ》しかない車輪《しゃりん》の1組《くみ》を持《も》っていかれたら、残《のこ》る車両《しゃりょう》は当然《とうぜん》、地面《じめん》にゴトッと落《お》ちる。しかも、それは16両編成《りょうへんせい》のいちばん先頭部分《せんとうぶぶん》。車体《しゃたい》はつんのめり、各車両《かくしゃりょう》モツレ合《あ》って脱線転覆《だっせんてんぷく》。車両《しゃりょう》はメチャメチャに壊《こわ》れて、たぶん生存者《せいぞんしゃ》ナシ……。新幹線《しんかんせん》のような、多数《たすう》の車両《しゃりょう》を連結《れんけつ》させて高速走行《こうそくそうこう》する交通機関《こうつうきかん》がいちばん起《お》こしてはならない事故《じこ》だ。

こうなってしまう原因《げんいん》は、ヒカリアンの分離《ぶんり》の仕方《しかた》にある。新幹線《しんかんせん》に限《かぎ》らず電車《でんしゃ》というものは、車輪《しゃりん》とモーターがついた「台車《だいしゃ》」の上《うえ》に、運転席《うんてんせき》や客席《きゃくせき》のある「車体《しゃたい》」が乗《の》っかるという構造《こうぞう》になっている。運転席《うんてんせき》が分離《ぶんり》するのもどうかと思《おも》うが、百歩譲《ひゃっぽゆず》ってそれは仕方《しかた》がないとしても、どうか台車《だいしゃ》だけは残《のこ》していってもらいたい。

だいたい、ヒカリアンは空《そら》が飛《と》べるし、地上《ちじょう》でも2本足《ほんあし》で行動《こうどう》する。車輪《しゃりん》はどうせ使《つか》わないのだから、お願《ねが》い、持《も》っていかないで!

◆戦《たたか》うなら3分以内《ぷんいない》で!

新幹線《しんかんせん》の最大《さいだい》の利点《りてん》はスピードだ。だからこそ高速走行中《こうそくそうこうちゅう》に変身《へんしん》すると大惨事《だいさんじ》になってしまう。もちろん、ヒカリアンはいつも走《はし》りながら分離《ぶんり》&変身《へんしん》していたわけではない。暗黒《あんこく》ブラッチャー星人《せいじん》の悪事《あくじ》に気《き》づいて線路上《せんろじょう》に停車《ていしゃ》し、そこから先端部《せんたんぶ》が分離《ぶんり》して変身《へんしん》していたことのほうが多《おお》かった。

だが、それはそれでどうなのか。劇中《げきちゅう》でも、ヒカリアンがロボットとなって敵《てき》と戦《たたか》っているあいだ、運転席《うんてんせき》を失《うしな》った車両《しゃりょう》はその場《ば》に停《と》まり続《つづ》けていた。乗客《じょうきゃく》が「いったい何《なに》が起《お》こっているんだ!?」と戸惑《とまど》ったりしていたから、どうもヒカリアンは車内放送《しゃないほうそう》で事情《じじょう》を説明《せつめい》することもなく、車両《しゃりょう》を置《お》き去《ざ》りにしていたようだ。乗客《じょうきゃく》サービスの面《めん》で、非常《ひじょう》に問題《もんだい》である。

しかも、そんなことをすると、すぐに次《つぎ》の電車《でんしゃ》がやってくる！　新幹線《しんかんせん》の線路《せんろ》は、駅《えき》を離《はな》れると上下線《じょうげせん》とも1本《ぽん》ずつになるから、後続《こうぞく》の新幹線《しんかんせん》は同《おな》じ線路《せんろ》を走《はし》ってくるのだ。

手元《てもと》の時刻表《じこくひょう》を調《しら》べると、たとえば午後《ごご》6時台《じだい》に新横浜駅《しんよこはまえき》に到着《とうちゃく》する下《くだ》り新幹線《しんかんせん》は、06分《ぷん》のぞみ、09分《ふん》のぞみ、15分《ふん》こだま、19分《ふん》のぞみ、22分《ふん》ひかり、29分《ふん》のぞみ、32分《ふん》のぞみ……。最短《さいたん》だと、なんと3分《ぷん》おきである。

新幹線《しんかんせん》にはＡＴＣ(自動列車制御装置《じどうれっしゃせいぎょそうち》)がついているから衝突《しょうとつ》は免《まぬが》れるだろうが、列車《れっしゃ》1本《ぽん》が停《と》まれば、後続列車《こうぞくれっしゃ》もすべてストップしてしまう。日本《にほん》の大動脈《だいどうみゃく》は大混乱《だいこんらん》！

正義《せいぎ》の味方《みかた》ヒカリアンは、暗黒《あんこく》ブラッチャーと戦《たたか》うなら、3分以内《ぷんいない》にしていただきたい。そうでなければ、平和《へいわ》は守《まも》れても、ダイヤが守《まも》れないという、列車《れっしゃ》ヒーローとしてはどうなんだという話《はなし》になっちゃうぞ。

とっても気《き》になるアニメの疑問《ぎもん》

『キャプテン翼《つばさ》』で、地平線《ちへいせん》の向《む》こうからゴールが見《み》えてくる場面《ばめん》がありました。どれだけ広《ひろ》いコートですか？

『キャプテン翼《つばさ》』を見《み》てサッカーを始《はじ》めた人《ひと》は、世界中《せかいじゅう》にたくさんいるという。これは本当《ほんとう》にすごいことだ。筆者《ひっしゃ》もモノ書《か》きの端《はし》くれだから実感《じっかん》するのだが、自分《じぶん》が作《つく》ったものを、生《う》まれ育《そだ》った環境《かんきょう》の違《ちが》う人々《ひとびと》にも楽《たの》しんでもらうのは、並大抵《なみたいてい》のことではない。

そんな『キャプ翼《つばさ》』の表現《ひょうげん》で忘《わす》れられないのが、翼《つばさ》くんがドリブルしながらコートを走《はし》っていくと、やがて地平線《ちへいせん》の向《む》こうからゴールが見《み》えてくる……というシーンだ。コートがどんだけ広《ひろ》いんだ!?

世界《せかい》の少年少女《しょうねんしょうじょ》がこれを見《み》て「ミステリアス！」と思《おも》ったか、「トレビアン！」と喜《よろこ》んだか、「ボールはアミーゴ！」と感動《かんどう》したか、そのへんも気《き》になるところだが、筆者《ひっしゃ》としては科学的《かがくてき》に考《かんが》えたい。地平線《ちへいせん》の向《む》こうからゴールが見《み》えてくるようなサッカーコートとは、いったいどれほどの広《ひろ》さなのか？

◆ゴール目前《もくぜん》で、試合終了《しあいしゅうりょう》！

サッカーコートの大《おお》きさは、たとえば少年《しょうねん》サッカー用《よう》は「縦《たて》が66〜78m、横《よこ》が48〜54m」というように、大《おお》まかに決《き》められている。厳格《げんかく》に決《き》まっているのはワールドカップのフィールドで、縦《たて》105m、横《よこ》68mだ。改《あらた》めて言《い》うまでもないが、こうした普通《ふつう》のサッカーコートで、相手《あいて》ゴールが地平線《ちへいせん》の彼方《かなた》に隠《かく》れることはない。

もちろん「ドリブルすると、ゴールが見《み》えてきた」というシーンは、翼《つばさ》くんの「勝利《しょうり》はすぐそこだ！」という昂揚感《こうようかん》などを表現《ひょうげん》した、作品上《さくひんじょう》の「演出《えんしゅつ》」なのだろう。いくら科学《かがく》バカの筆者《ひっしゃ》でも、そのぐらいはわかりますぞ。『キャプ翼《つばさ》』には、翼《つばさ》くんが1分以上《ぷんいじょう》ドリブルしながら走《はし》るシーンもあったが、それもまた試合《しあい》の展開《てんかい》や、翼《つばさ》くんの心理《しんり》を丁寧《ていねい》に描《えが》くための演出《えんしゅつ》に違《ちが》いない。世界《せかい》の人々《ひとびと》に影響《えいきょう》を与《あた》えた作品《さくひん》なのだから、少々《しょうしょう》の演出《えんしゅつ》で驚《おどろ》いてはいかんのだ。

だが、だからこそ考《かんが》えてみたい。これらのシーンは、どれほど大胆《だいたん》な演出《えんしゅつ》なのか。

まず、翼《つばさ》くんがドリブルしながら走《はし》っていくと、地平線《ちへいせん》の向《む》こうからゴールが見《み》えてくる……というシーン。そのフィールドの広《ひろ》さはいかほどということになるのか？

少年《しょうねん》サッカーのゴールの高《たか》さは2m。翼《つばさ》くんの目《め》の高《たか》さを1・4mと仮定《かてい》し、翼《つばさ》くんから見《み》て、ゴールが地平線《ちへいせん》の向《む》こうに隠《かく》れる距離《きょり》を計算《けいさん》してみると、うおっ、9・3㎞だ！

これはモーレツに遠《とお》い。多《おお》くの学校《がっこう》にある1周《しゅう》200mのグラウンドを46周《しゅう》する距離《きょり》。翼《つばさ》くんが1万《まん》mの世界記録《せかいきろく》（26分《ぷん》17秒《びょう》53）と同《おな》じペースでドリブルしたとしても、ゴール前《まえ》に着《つ》くのは24分《ぷん》23秒後《びょうご》。少年《しょうねん》サッカーは前半後半《ぜんはんこうはん》それぞれ20分《ぷん》だから、試合《しあい》が終《お》わってしまう！

◆まさか清水市《しみずし》の全域《ぜんいき》がサッカー場《じょう》!?

だが、翼《つばさ》くんの実力《じつりょく》を考《かんが》えれば、彼《かれ》にはこれぐらいの広大《こうだい》なサッカー場《じょう》が必要《ひつよう》かもしれない。

翼《つばさ》くんは小学《しょうがく》6年生《ねんせい》のときに、南葛小《なんかつしょう》チームを率《ひき》いて全国少年《ぜんこくしょうねん》サッカー大会《たいかい》で優勝《ゆうしょう》した。決勝《けっしょう》戦《せん》で勝利《しょうり》を決《き》めた彼《かれ》のシュートは、なんとボールがゴールのネットを突《つ》き破《やぶ》り、上空《じょうくう》200mくらいにまで上昇《じょうしょう》した！

これに必要《ひつよう》なシュートの速度《そくど》を計算《けいさん》すると、時速《じそく》1万《まん》5千《せん》㎞＝マッハ12・3になる。ライフルの弾丸《だんがん》の速度《そくど》がマッハ3だから、その4倍《ばい》も速《はや》い。ボールの破壊力《はかいりょく》は、1tの乗用車《じょうようしゃ》が時速《じそく》27

０㎞でぶつかるのと同《おな》じである。相手選手《あいてせんしゅ》にぶつかったら命《いのち》の保《ほ》証《しょう》はまったくできないし、あまりのスピードのために、避《よ》けることも不可能《ふかのう》。味方《みかた》にパスを送《おく》っても、１回《かい》ごとに仲間《なかま》がバタバタ倒《たお》れていく！

　この危険《きけん》な翼《つばさ》くんのシュートも、遠《とお》くまで飛《と》ぶうちに空気抵《くうきてい》抗《こう》でスピードが落《お》ちる。選手《せんしゅ》たちの安全《あんぜん》のためには、どうしても広《ひろ》いコートが必要《ひつよう》なのだ。

　だが、ゴールまで９・３㎞もあるような広《ひろ》いサッカー場《じょう》を、どこに作《つく》れるのだろうか。

ゴールは、翼《つばさ》くんがドリブルを続《つづ》けている途中《とちゅう》で見《み》えてきたのだから、そこがハーフウェーラインだったと仮定《かてい》しよう。すると、コートの縦《たて》は18・6㎞。フィールドの縦《たて》と横《よこ》の比率《ひりつ》がワールドカップのそれと同《おな》じなら、横《よこ》の長《なが》さは12㎞となり、ピッチの総面積《そうめんせき》は実《じつ》に223㎢。

『キャプテン翼《つばさ》』の舞台《ぶたい》といわれる静岡県清水市《しずおかけんしみずし》は、現在《げんざい》は他《ほか》の2町《ちょう》と合併《がっぺい》して静岡市清水区《しずおかしみずく》となっているが、その前《まえ》は面積《めんせき》が228㎢だった。おお〜っ、奇遇《きぐう》にも翼《つばさ》くんが走《はし》っていたコートと、ほぼ同《おな》じ！　さすがサッカー王国《おうこく》・清水《しみず》だ！

◆翼《つばさ》くんの真《しん》の実力《じつりょく》は？

単《たん》なる偶然《ぐうぜん》に興奮《こうふん》している場合《ばあい》ではない。24万人《まんにん》もの人《ひと》が暮《く》らす街《まち》と同《おな》じほど広《ひろ》いサッカー場《じょう》は、さすがに世界《せかい》のどこにもないだろう。そもそも少年《しょうねん》サッカーのコートは、縦《たて》が66〜78m、横《よこ》が48〜54mと決《き》まっているのだ。

翼《つばさ》くんがもっとも大《おお》きな78m×54mのコートで戦《たたか》っていたと考《かんが》えよう。その面積《めんせき》は0・0042㎢だから、劇中《げきちゅう》の広大《こうだい》なフィールドは現実《げんじつ》の5万《まん》3千倍《ぜんばい》ほどに誇張《こちょう》されていたことになる。

これは現実《げんじつ》の少年《しょうねん》ストライカーが3点《てん》取《と》るような試合展開《しあいてんかい》のときに、翼《つばさ》くんは15万《まん》9千《せん》ゴールを決《き》めた！というようなもの。いくら演出《えんしゅつ》とはいえ、大胆《だいたん》すぎでは……!?

だが、翼《つばさ》くんが少年《しょうねん》サッカーのコートで試合《しあい》していたとすると、理解《りかい》に困《こま》るシーンもある。そう、1分以上《ぷんいじょう》もドリブルを続《つづ》けた、というアレだ。

右《みぎ》のコートなら、ハーフウェーラインからゴールまで39m。翼《つばさ》くんがゴールの5m前《まえ》からシュートを打《う》ったとすれば、ドリブルしながら34m進《すす》むのに、1分《ぷん》もかかったことになる。翼《つばさ》くんの秀《ひい》でた身体能力《しんたいのうりょく》を考《かんが》えれば、100mを12秒《びょう》ぐらいで走《はし》れるのではないだろうか。すると、1分《ぷん》のあいだに500mも走《はし》ってしまうはずなのだが……。

これらを無理《むり》やり理解《りかい》しようとすれば、次《つぎ》の3つの可能性《かのうせい》が浮上《ふじょう》する。

①翼《つばさ》くんは、猛烈《もうれつ》にジグザグに走《はし》った。34m離《はな》れた地点《ちてん》に到達《とうたつ》するのに500m走《はし》ったとすると、実《じつ》に15倍《ばい》のムダ走《ばし》り。さっさとゴールを目指《めざ》さんか！

②翼《つばさ》くんは、猛烈《もうれつ》に足《あし》が遅《おそ》かった。100m走《そう》のタイムは2分《ふん》56秒《びょう》！

う〜む。どうしても不可解《ふかかい》なことになってしまう。

この作品《さくひん》が、世界《せかい》の人々《ひとびと》に大《おお》きな感銘《かんめい》を与《あた》えた事実《じじつ》を思《おも》えば、5万倍《まんばい》くらいの誇張《こちょう》をしてこそ、文化《ぶんか》や環境《かんきょう》を超《こ》えて伝《つた》わるものがあるのかもしれんなあ、と思《おも》います。

とっても気《き》になるマンガの疑問《ぎもん》

『ONE PIECE《ワンピース》』の海軍大将《かいぐんたいしょう》・藤虎《ふじトラ》は、重力《じゅうりょく》を操《あやつ》って隕石《いんせき》を落《お》とします。実現可能《じつげんかのう》ですか？

地上《ちじょう》で戦《たたか》っている者《もの》が、相手《あいて》を倒《たお》すために隕石《いんせき》を落下《らっか》させる――。現実世界《げんじつせかい》では考《かんが》えられない壮大《そうだい》なワザだが、空想科学《くうそうかがく》の世界《せかい》には、この能力《のうりょく》を持《も》つ者《もの》がしばしば登場《とうじょう》してきた。有名《ゆうめい》なところでは、『仮面《かめん》ライダー』を代表《だいひょう》する敵《てき》キャラ・死神博士《しにがみはかせ》（＝怪人《かいじん》イカデビル）や、『NARUTO《ナルト》』のうちはマダラなど。だが、地上《ちじょう》にいる者《もの》がどうやって隕石《いんせき》を落《お》とすのか、その方法《ほうほう》が具体的《ぐたいてき》に語《かた》られたことはなかった。それが藤虎《ふじトラ》の場合《ばあい》は「重力《じゅうりょく》を操《あやつ》る」と原理《げんり》が示《しめ》されているのだ。これは、科学的《かがくてき》にココロ惹《ひ》かれる！

藤虎《ふじトラ》は、昭和《しょうわ》の時代《じだい》に人気《にんき》を博《はく》した時代劇《じだいげき》の主人公《しゅじんこう》・座頭市《ざとういち》を髣髴《ほうふつ》させる盲目《もうもく》の海軍大将《かいぐんたいしょう》。悪《あく》魔《ま》の実《み》を食《た》べた「能力者《のうりょくしゃ》」だ。

彼《かれ》は、ドレスローザという島《しま》でドンキホーテ・ドフラミンゴと手《て》を組《く》み、トラファルガー・ローと戦《たたか》ったとき、刀《かたな》を抜《ぬ》いて瞬時《しゅんじ》に鞘《さや》に納《おさ》める「居合《いあい》」の技《わざ》を見《み》せた。すると、頭上《ずじょう》から巨大《きょだい》な隕石《いんせき》が落《お》ちてくる……！　どう考《かんが》えても、誰《だれ》よりも先《さき》にこの3人《にん》が死《し》んでしまいそうな状況《じょうきょう》だったが、彼《かれ》らはそれぞれの技《わざ》で防御《ぼうぎょ》。その結果《けっか》、3人《にん》が立《た》っていた場所《ばしょ》だけが岩《いわ》の柱《はしら》のように残《のこ》り、地面《じめん》に深《ふか》いクレーターができた。

藤虎《ふじトラ》の言葉《ことば》によれば「ほんの腕試《うでだめ》し」だったという。なぬーっ!?　いったいどんな重力《じゅうりょく》を発生《はっせい》させれば、こんなことができるというのか。

◆隕石《いんせき》が近《ちか》くにいる可能性《かのうせい》

隕石《いんせき》とは、宇宙《うちゅう》を飛《と》び交《か》う岩《いわ》の塊《かたまり》だ。大《おお》きなものは小惑星《しょうわくせい》と呼《よ》ばれる。隕石《いんせき》も小惑星《しょうわくせい》も、地《ち》球《きゅう》と同《おな》じように太陽《たいよう》の周《まわ》りを回《まわ》っているが、地球《ちきゅう》の軌道《きどう》を斜《なな》めに横切《よこぎ》るものがあるため、ごくたまに地球《ちきゅう》にぶつかることがある。6500万年前《まんねんまえ》に恐竜《きょうりゅう》を滅亡《めつぼう》させたのも、小惑星《しょうわくせい》の衝突《しょうとつ》だったといわれる。

このような事態《じたい》に備《そな》えて、各国《かっこく》の天文台《てんもんだい》は、地球《ちきゅう》の近《ちか》くを通《とお》る隕石《いんせき》や小惑星《しょうわくせい》を監視《かんし》している。

たとえば2011年《ねん》、直径《ちょっけい》400mの小惑星《しょうわくせい》が地球《ちきゅう》から32万《まん》5千《せん》㎞の地点《ちてん》を通過《つうか》した。地球《ちきゅう》の直径《ちょっけい》は1万《まん》3千《ぜん》㎞だから、その25倍《ばい》も遠《とお》いが、広《ひろ》い宇宙《うちゅう》ではこれでも「接近《せっきん》」といわれる。また2013年《ねん》、直径《ちょっけい》45mの小惑星《しょうわくせい》が2万《まん》8千《せん》㎞地点《ちてん》を通過《つうか》した。これなど、大接近《だいせっきん》である。それでもNASA《ナサ》は、監視《かんし》している8500の小惑星《しょうわくせい》のうち、100年以内《ねんいない》に地球《ちきゅう》に衝突《しょうとつ》するものはないと発表《はっぴょう》している。

だが2013年《ねん》、直径《ちょっけい》17mの隕石《いんせき》がロシアに落下《らっか》し、1491人《にん》が負傷《ふしょう》した。17mといえばビルほどもあるが、このサイズでは、観測《かんそく》の目《め》から漏《も》れてしまうのだ。恐《おそ》ろしいことじゃ〜。

さて、藤虎《ふじトラ》の落《お》とした隕石《いんせき》だが、マンガのコマで計《はか》ると直径《ちょっけい》150mほどもある。NASA《ナサ》の言《い》うとおりなら、このクラスの隕石《いんせき》が地球《ちきゅう》に衝突《しょうとつ》することはないことになるが、近《ちか》くを通《とお》る可能《かのう》性《せい》ならあるだろう。藤虎《ふじトラ》は、そのような隕石《いんせき》を重力《じゅうりょく》で引《ひ》き寄《よ》せたのだと思《おも》われる。距離《きょり》が遠《とお》いと、引《ひ》き寄《よ》せるのに強《つよ》い重力《じゅうりょく》が必要《ひつよう》なので、ここではキリよく地上《ちじょう》1万《まん》㎞を通過《つうか》すると考《かんが》えよう。これを地球《ちきゅう》に落《お》とすために、藤虎《ふじトラ》は何《なに》をしたのだろうか?

◆「重力《じゅうりょく》を操《あやつ》る」って、どういうこと?

これを考《かんが》える前提《ぜんてい》として、そもそもどうすれば「重力《じゅうりょく》を操《あやつ》る」ことができるのか。

重力《じゅうりょく》とは、天体《てんたい》が他《ほか》の物体《ぶったい》を引《ひ》きつける力《ちから》のことだ。手《て》を滑《すべ》らせたコップが落《お》ちるのも、われわれが地面《じめん》に立《た》っていられるのも、地表《ちひょう》の近《ちか》くに空気《くうき》があるのも、地球《ちきゅう》の重力《じゅうりょく》のおかげだ。もちろん、月《つき》にも火星《かせい》にも、それぞれの重力《じゅうりょく》がある。

重力《じゅうりょく》は「天体《てんたい》の重《おも》さ」によって発生《はっせい》する。たとえば、地球《ちきゅう》とまったく同《おな》じ大《おお》きさの天体《てんたい》があって、それが発泡《はっぽう》スチロールでできていた場合《ばあい》、その星《ほし》の地表《ちひょう》に立《た》ったときに生《しょう》じる重力《じゅうりょく》は、地球《ちきゅう》の270分《ぶん》の1。重力《じゅうりょく》を発生《はっせい》させるにはどうしても「重《おも》さ」が必要《ひつよう》で、重《おも》いものに近《ちか》いほど、大《おお》きな重力《じゅうりょく》を受《う》ける。ボタンを押《お》せばブイーンと音《おと》がして、重力《じゅうりょく》が発生《はっせい》する……というような機械《きかい》は作《つく》れないのだ。少《すく》なくとも、人類《じんるい》はまだ、重力《じゅうりょく》を操《あやつ》る技術《ぎじゅつ》を持《も》っていない。

ところが藤虎《ふじトラ》は、重力《じゅうりょく》を操《あやつ》って隕石《いんせき》を引《ひ》き寄《よ》せたという！　これをどう考《かんが》えればいいのだろうか。前述《ぜんじゅつ》のとおり、もし自分《じぶん》の体《からだ》から強《つよ》い重力《じゅうりょく》を発生《はっせい》させるとしたら、自分《じぶん》の体重《たいじゅう》を重《おも》くするしかないはずだが……。

大量《たいりょう》に食《た》べて太《ふと》ったぐらいでは、まったく間《ま》に合《あ》わない。そこでここでは、悪魔《あくま》の実《み》の力《ちから》によって、藤虎《ふじトラ》が一気《いっき》にその体重《たいじゅう》をモノスゴク増《ふ》やすことができると考《かんが》えよう。目指《めざ》すべき重《おも》さはどれほどか？

隕石《いんせき》の軌道《きどう》に影響《えいきょう》を与《あた》えるとしたら、少《すく》なくとも地球《ちきゅう》と同《おな》じぐらいの重《おも》さになる必要《ひつよう》があるだろう。その体重《たいじゅう》とは6000000000000000000t！

こんな体重《たいじゅう》になったら、ただごとでは済《す》まない。上空《じょうくう》1万《まん》kmの隕石《いんせき》も引《ひ》き寄《よ》せられるかもしれないが、すぐ近《ちか》くにいるローやドフラミンゴたちが、真《ま》っ先《さき》に猛烈《もうれつ》な重力《じゅうりょく》に引《ひ》っ張《ぱ》られて、藤虎《ふじトラ》にまっしぐら！ ぶつかる速度《そくど》を計算《けいさん》してみると、なんとマッハ17万《まん》！ そんなスピードで激突《げきとつ》したのでは、3人《にん》そろってオダブツだろうなあ。

◆落《お》ちてくるのに時間《じかん》がかかる！

もちろん、劇中《げきちゅう》でそんな悲劇《ひげき》は起《お》きなかった。すると、考《かんが》えられる可能性《かのうせい》は、ただ一《ひと》つ。藤虎《ふじトラ》は、自分《じぶん》の重力《じゅうりょく》を大《おお》きくしたのではなく、地球《ちきゅう》の重力《じゅうりょく》を強《つよ》くしたのではないか。それも現《げん》実《じつ》には不可能《ふかのう》だけど、もしも悪魔《あくま》の実《み》の力《ちから》で実現《じつげん》できたとしたら……？

地上《ちじょう》1万《まん》kmを通過《つうか》する隕石《いんせき》を地上《ちじょう》に落《お》とすには、地球《ちきゅう》の重力《じゅうりょく》を7・34倍《ばい》以上《いじょう》にする必要《ひつよう》がある。ここでも、キリよく8倍《ばい》と仮定《かてい》して計算《けいさん》しよう。

これを実行《じっこう》すると、地上《ちじょう》ではすべての物体《ぶったい》の重《おも》さが8倍《ばい》になるという大問題《だいもんだい》が生《しょう》じるが、筆者《ひっしゃ》にはそれよりも気《き》になることがある。

藤虎《ふじトラ》は事件《じけん》を起《お》こしたローに尋問《じんもん》し、説得《せっとく》に応《おう》じるつもりがないことを知《し》ると、「では」と言《い》

って刀《かたな》を抜《ぬ》き、隕石《いんせき》を落《お》とした。隕石《いんせき》はたちまち迫《せま》ってきたが、地上《ちじょう》１万《まん》㎞を通過《つうか》する隕石《いんせき》が、現在《げんざい》の地球《ちきゅう》の８倍《ばい》の重力《じゅうりょく》に引《ひ》かれた場合《ばあい》、地上《ちじょう》に落下《らっか》するまで53分《ぷん》かかるのだ。返事《へんじ》を聞《き》いてすぐに落《お》ちてこさせるためには、藤虎《ふじトラ》は、ローの答《こたえ》を予測《よそく》して、53分前《ぷんまえ》に落下《らっか》を開始《かいし》させていなければならない。

　しかも、隕石《いんせき》は地球《ちきゅう》を回《まわ》りながら、少《すこ》しずつ地球《ちきゅう》に近《ちか》づいてくるので、真下《ました》には落《お》ちない。落下地点《らっかちてん》は、落下開始地点《らっかかいしちてん》の真《ま》下《した》から１万《まん》４６００㎞も離《はな》れた場所《ばしょ》である。

さらに、地球《ちきゅう》は西《にし》から東《ひがし》へ自転《じてん》しているから、落《お》ちてくるまでに地面《じめん》も動《うご》く。ドレスローザが赤道上《せきどうじょう》にあったとすると、藤虎《ふじトラ》たちがいる場所《ばしょ》は53分後《ぷんご》には東《ひがし》へ1500㎞も動《うご》くのだ。

これらをすべて計算《けいさん》していなければ、隕石《いんせき》は見当違《けんとうちが》いの地点《ちてん》に、全然《ぜんぜん》ハズれたタイミングで落《お》ちてしまう。藤虎《ふじトラ》というのは昭和《しょうわ》の時代劇《じだいげき》みたいなヒトに見《み》えて、実《じつ》はそこまでの計算《けいさん》をし尽《つ》くした緻密《ちみつ》なヒトだったのか……。

さらに驚《おどろ》くのは、3人《にん》が無傷《むきず》だったこと。ローは刀《かたな》で隕石《いんせき》を真《ま》っ二《ぷた》つに斬《き》り、ドフラミンゴはその破片《はへん》の一《ひと》つを手《て》から出《だ》す糸《いと》でバラバラに切《き》り刻《きざ》み、藤虎《ふじトラ》は、おそらく重力《じゅうりょく》を利用《りよう》すると思《おも》われるバリアのようなもので受《う》け止《と》めた。直径《ちょっけい》150mの隕石《いんせき》は重量《じゅうりょう》350万《まん》t。右《みぎ》の条件《じょうけん》では、地面《じめん》にマッハ78で激突《げきとつ》する。これをかわし、受《う》け止《と》めた3人《にん》は、各人《かくじん》が2億《おく》tクラスの力《ちから》を発揮《はっき》したはずだ。いったい、どういう強《つよ》さなのか……。

『ONE PIECE《ワンピース》』は、ホントにすごい男《おとこ》たちが出《で》てくるマンガである。こんな人々《ひとびと》がいないわれわれの世界《せかい》はまことに穏《おだ》やかで結構《けっこう》ですなあ。

とっても気《き》になるゲームの疑問《ぎもん》

星《ほし》のカービィは、頭《あたま》と体《からだ》が一《いっ》体《たい》化《か》しています。どんな骨《こっ》格《かく》なのですか？

『星《ほし》のカービィ』といえば「どんなものも吸《す》い込《こ》んで、その姿《すがた》や力《ちから》をコピーする」という特異《とくい》な能力《のうりょく》があまりに有名《ゆうめい》だ。多《おお》くの人《ひと》が気《き》になる題材《だいざい》だろうと思《おも》い『ジュニア空想科学読本《くうそうかがくどくほん》』の1冊《さつ》目《め》でも扱《あつか》った。

だからこそ、この質問《しつもん》をもらったときには衝撃《しょうげき》を受《う》けた。カービィの骨格《こっかく》!? そこまでは考《かんが》えてもみなかった！

カービィの体《からだ》は、直径《ちょっけい》20㎝ほどの球形《きゅうけい》である。前面《ぜんめん》に顔《かお》が、両脇《りょうわき》に腕《うで》が、下部《かぶ》に足《あし》がある。どういう骨格《こっかく》であれば、そのような体型《たいけい》になるのだろうか？ われわれ人間《にんげん》とは大《おお》きく違《ちが》うし、地《ち》

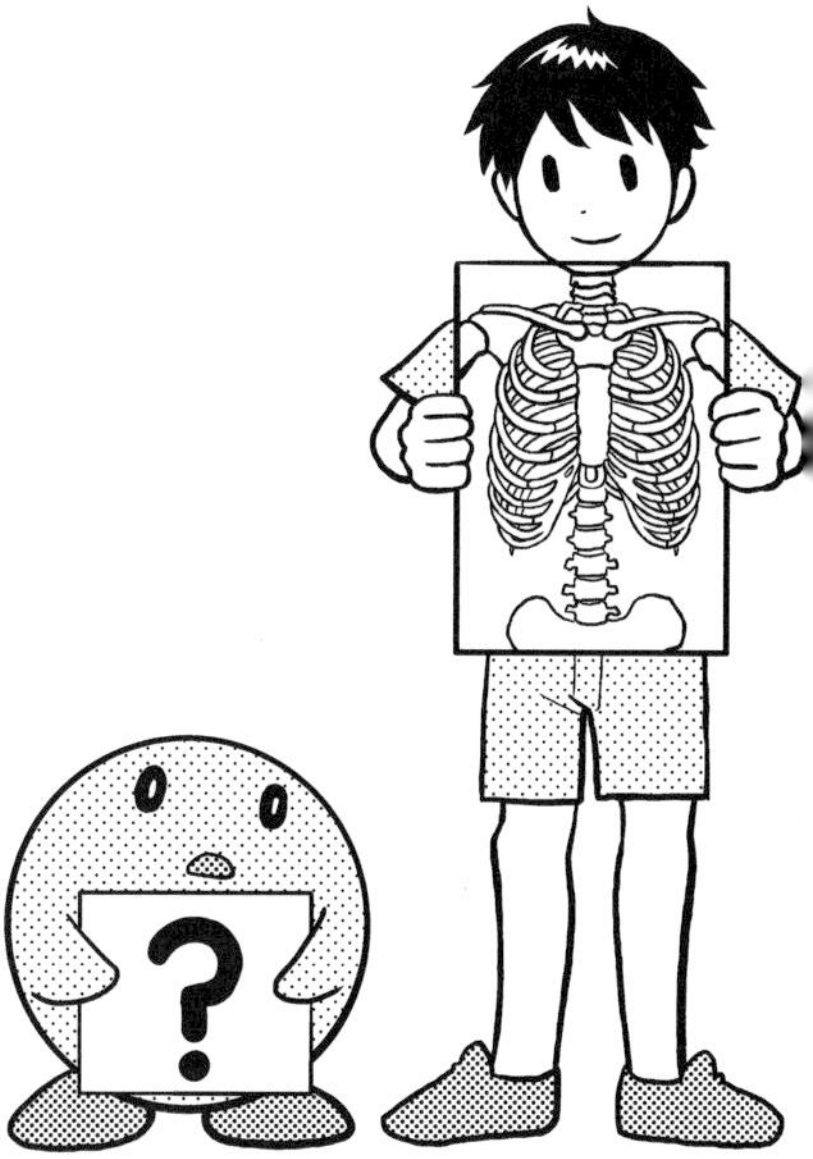

球全体《きゅうぜんたい》を見渡《みわた》しても、あんな体型《たいけい》の生物《せいぶつ》はいない。言《い》われてみたら気《き》になって仕方《しかた》のないカービィの骨格《こっかく》、いったいどうなっているのだろうか?

◆パーツは人間《にんげん》と同《おな》じ?

骨格《こっかく》とは「どんな骨《ほね》がどのように組《く》み合《あ》わさっているか」ということだが、そもそもカービィに骨《ほね》なんてあるのだろうか?

あるでしょうなあ。もし骨《ほね》がなかったら、筋肉《きんにく》だけで運動《うんどう》していることになり、タコやミミズのように地面《じめん》を這《は》い回《まわ》ることしかできない。カービィが歩《ある》いたり、武器《ぶき》を振《ふ》り回《まわ》したりできるということは、少《すく》なくとも手足《てあし》には骨《ほね》があるはずだ。

またカービィは、状況《じょうきょう》に的確《てきかく》に対応《たいおう》し、次《つぎ》の展開《てんかい》を予測《よそく》するなど、高《たか》い知能《ちのう》を持《も》っている。ここから脳《のう》があることは間違《まちが》いなく、ということは脳《のう》を守《まも》る頭蓋骨《ずがいこつ》もあるのだろう。

さらに、得意《とくい》の「すいこみ」をするには、肺《はい》が必要《ひつよう》だ。肺《はい》が空気《くうき》を吸《す》い込《こ》めるのは、肺《はい》に筋肉《きんにく》があるからではなく、肋骨《ろっこつ》という入《い》れ物《もの》に入《はい》っていて、下《した》の開口部《かいこうぶ》で横隔膜《おうかくまく》が上下《じょうげ》に動《うご》くから。

つまりカービィには肋骨《ろっこつ》もあると考《かんが》えられる。

当然《とうぜん》これらの骨々《ほねぼね》は、人間《にんげん》の背骨《せぼね》にあたる骨《ほね》でつながっているはずだ。さらに手足《てあし》を滑《なめ》らかに動《うご》かすには、腕《うで》の骨《ほね》がつながる肩甲骨《けんこうこつ》と、足《あし》の骨《ほね》がつながっている骨盤《こつばん》も不可欠《ふかけつ》だ。

ややや っ。こんなふうに考《かんが》えると、カービィの骨格《こっかく》も、パーツはわれら人類《じんるい》とほぼ同《おな》じではないか……という話《はなし》になってくる。

すると不思議《ふしぎ》である。骨《ほね》のパーツが同《おな》じだとしたら、われら人間《にんげん》とカービィは、なぜこんなにも体型《たいけい》が違《ちが》うのだろう？　考《かんが》えられるのは、パーツの形《かたち》と大《おお》きさ、そして、組《く》み合《あ》わさり方《かた》が大《おお》きく異《こと》なるということだ。

カービィは、球形《きゅうけい》の体《からだ》から手足《てあし》が生《は》えている。ひょっとして、頭蓋骨《ずがいこつ》に直接《ちょくせつ》、肩甲骨《けんこうこつ》や骨盤《こつばん》がついているのか？　いやいや、それだと「すいこみ」に必要《ひつよう》な肋骨《ろっこつ》の入《はい》る余地《よち》がない。

しかもその前提《ぜんてい》では、手足《てあし》の筋肉《きんにく》が頭蓋骨《ずがいこつ》についていることになる。そんな骨《ほね》と筋肉《きんにく》の構造《こうぞう》だと、歩《ある》いたり武器《ぶき》を振《ふ》り回《まわ》したりするたびに、顔《かお》が歪《ゆが》んでしまう。手《て》を前《まえ》に出《だ》すとシカメッ面《つら》になり、後《うし》ろへ反《そ》らすとヒラメ顔《がお》に……。

◆これが骨格《こっかく》……かなあ⁉

もちろん、実際《じっさい》のカービィは、そんな不気味《ぶきみ》な顔《かお》にはなっていない。ということは、肩甲骨《けんこうこつ》や骨盤《こつばん》は、われわれヒトと同様《どうよう》に、頭蓋骨《ずがいこつ》とは離《はな》れた場所《ばしょ》にあるのだろう。

にもかかわらず、カービィの腕《うで》は、まごうことなく目《め》の真横《まよこ》についている。うーむ、この事実《じじつ》をどう考《かんが》えればいいのやら……。

考《かんが》えに考《かんが》えた挙句《あげく》、筆者《ひっしゃ》が思《おも》い至《いた》ったのが、左《ひだり》ページのイラストの想像図《そうぞうず》である！　カービィの骨格《こっかく》は、頭蓋骨《ずがいこつ》が体《からだ》の前面《ぜんめん》に張《は》り出《だ》し、他《ほか》の骨《ほね》は中心《ちゅうしん》から背後《はいご》を占《し》めている……はず。なんとも不気味《ぶきみ》だが、顔《かお》と腕《うで》の位置関係《いちかんけい》を考《かんが》えれば、この構造《こうぞう》しかないと思《おも》うのだ。

こういう骨格《こっかく》ならカービィの腕《うで》の動《うご》き方《かた》も説明《せつめい》できる。われらヒトの腕《うで》は、肩《かた》を中心《ちゅうしん》にして前《ぜん》後《ご》や上下《じょうげ》に動《うご》く。だがカービィの場合《ばあい》は、腕《うで》を上下《じょうげ》に動《うご》かすと、腕《うで》の付《つ》け根《ね》も上下《じょうげ》に移動《いどう》する！

筆者《ひっしゃ》はそれをまことに不可解《ふかかい》な現象《げんしょう》だと思《おも》っていたが、想像図《そうぞうず》のように肩《かた》の関節《かんせつ》が体《からだ》の奥《おく》にあり、腕《うで》の先端《せんたん》だけが体表《たいひょう》から突《つ》き出《だ》していると考《かんが》えれば、その動《うご》きもあり得《う》るかも。

またカービィは、腕《うで》を上《あ》げても、下《さ》げても、真横《まよこ》に伸《の》ばしても、その長《なが》さが変《か》わらない。こういうことが起《お》こり得《え》るのは、肩《かた》の関節《かんせつ》が球形《きゅうけい》をした体《からだ》の中心《ちゅうしん》にあるときだけだ。つまり、カービィの左右《さゆう》の肩甲骨《けんこうこつ》はきわめて小《ちい》さく、体《からだ》の中心近《ちゅうしんちか》くに２つ並《なら》んでいるに違《ちが》いない。

これは足《あし》も同《おな》じだ。カービィの足《あし》は、フトモモやスネ、つまり英語《えいご》でいう「レッグ」がなく、「フット」だけが体《からだ》の下部《かぶ》を滑《すべ》るように動《うご》く。このような動《うご》きが可能《かのう》なのは、骨盤《こつばん》がやはり体《からだ》の中心《ちゅうしん》部《ぶ》にあり、レッグが体内《たいない》に埋《う》もれている場合《ばあい》だけであろう。

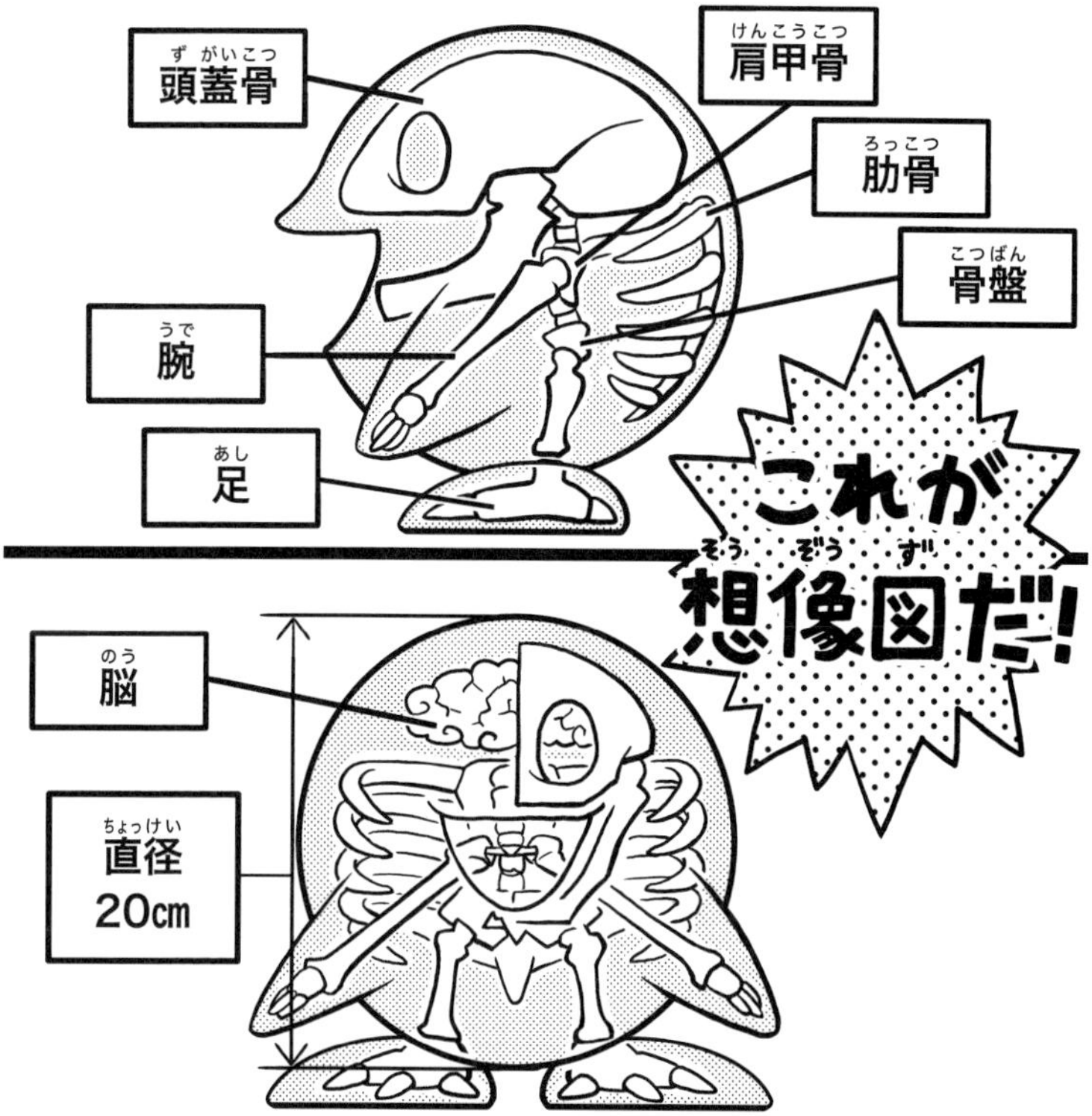

すると困《こま》ってしまうのが、肋《ろっ》骨《こつ》の位置《いち》だ。肩甲骨《けんこうこつ》も骨盤《こつばん》も体《からだ》の中心《ちゅうしん》にあるとしたら、本来《ほんらい》はその中間《ちゅうかん》にあるべき肋骨《ろっこつ》の収《おさ》まりどころがなくなる。その問題《もんだい》を解決《かいけつ》するには、体《からだ》の背面《はいめん》に張《は》り出《だ》していると考《かんが》えるしかないが……。

などなど、さまざまに悩《なや》み抜《ぬ》いて完成《かんせい》したのが上《うえ》の骨格想像《こっかくそうぞう》図《ず》なのです。

◆胃《い》はどこにある?

自分《じぶん》で想像《そうぞう》しといて言《い》うのもナンだけど、この骨格図《こっかくず》、全然《ぜんぜん》カワイくない！　カービィの愛《あい》らしさとかけ離《はな》れている！

おまけに、大《おお》きな問題《もんだい》が残《のこ》されているではないか。食《た》べたものは、どうなる？　カービィは、普通《ふつう》の食《た》べ物《もの》も盛大《せいだい》に食《た》べるから、胃《い》や腸《ちょう》も間違《まちが》いなくあるはずだ。人間《にんげん》の胃腸《いちょう》は、骨盤《こつばん》に支《ささ》えられているが、カービィの骨盤《こつばん》は想像図《そうぞうず》のように、体《からだ》の中心《ちゅうしん》に小《ちい》さくまとまっているはずなので、胃《い》や腸《ちょう》を支《ささ》えることができない。するとカービィの胃腸《いちょう》は宙《ちゅう》ぶらりん!?　それだと胃《い》も腸《ちょう》も垂《た》れ下《さ》がり、人間《にんげん》なら「ポッコリお腹《なか》」になるところ、カービィは「ポッコリお尻《しり》」に……。

う〜む。いよいよ、どう考《かんが》えるべきか。ひょっとしたら、体《からだ》よりはるかに大《おお》きなものを吸《す》い込《こ》むカービィの口《くち》は、宇宙《うちゅう》かどこかにつながっていて、胃《い》とか腸《ちょう》は必要《ひつよう》ないとか……。

ああ、もう筆者《ひっしゃ》の頭蓋骨《ずがいこつ》はバラバラになり、脳《のう》はどこかに吸《す》い込《こ》まれていきそうだ。カービィの骨格問題《こっかくもんだい》、皆《みな》さんはどう思《おも》われますか？

とっても気《き》になるマンガの疑問《ぎもん》

『こち亀《かめ》』の中川家《なかがわけ》と『ケロロ軍曹《ぐんそう》』の西澤家《にしざわけ》、どっちがお金持《かねも》ちなのでしょう？

マンガやアニメには、ときどきモノスゴイお金持《かねも》ちが出《で》てくる。

たとえば『こちら葛飾区亀有公園前派出所《かつしかくかめありこうえんまえはしゅつじょ》』の中川圭一巡査《なかがわけいいちじゅんさ》は、主人公《しゅじんこう》の両《りょう》さんと同《おな》じ交番《こうばん》に勤務《きんむ》する警察官《けいさつかん》でありながら、中川《なかがわ》コンツェルンの御曹司《おんぞうし》。自《みずか》ら社長《しゃちょう》を務《つと》める「中川《なかがわ》エクスクルーシヴ」も、世界有数《せかいゆうすう》の大企業《だいきぎょう》だ。所有《しょゆう》する車《くるま》は5千台《せんだい》！　毎週《まいしゅう》15～16台《だい》の外国製最新車《がいこくせいさいしんしゃ》が届《とど》く！　100円《えん》ショップを見《み》て、100万円《まんえん》ショップと勘違《かんちが》いする！　わはははッ。

あまりのすごさについ笑《わら》ってしまったが、すごいといえば『ケロロ軍曹《ぐんそう》』の西澤桃華《にしざわももか》の家《いえ》も、呆《あき》れるほどの大金持《おおがねも》ちだ。小学《しょうがく》6年生《ねんせい》の彼女《かのじょ》は、クラスメイトの日向冬樹《ひなたふゆき》と仲《なか》よくなるために、無人島《むじんとう》に日向一家《ひなたいっか》を招待《しょうたい》し、そのためだけにホテルを建《た》てた！　かけた費用《ひよう》は50億円《おくえん》！　自宅《じたく》の敷地内《しきちない》に「西澤邸《にしざわてい》」という電車《でんしゃ》の駅《えき》がある！

どちらもあまりの金持《かねも》ちで、頭《あたま》がクラクラする。そして、ここまでゴーカイな話《はなし》を聞《き》くと、筆者《ひっしゃ》は比《くら》べずにはいられない。中川家《なかがわけ》と西澤家《にしざわけ》は、いったいどちらが金持《かねも》ちなのか？

◆お屋敷《やしき》が広《ひろ》いのはどっち⁉

両家《りょうけ》の財力《ざいりょく》は、それぞれが住《す》んでいる屋敷《やしき》の広《ひろ》さが物語《ものがた》る。

まず中川家《なかがわけ》。『こち亀《かめ》』のある回《かい》で、中川《なかがわ》は両《りょう》さんを車《くるま》で自宅《じたく》に連《つ》れていった。車《くるま》は、屋敷《やしき》の塀《へい》に沿《そ》った道路《どうろ》に入《はい》ったが、10分走《ぷんはし》っても門《もん》に着《つ》かない。しかも、屋敷《やしき》には12の門《もん》があるというのである。これはいったい、どれほどの広《ひろ》さなのか⁉

まるで算数《さんすう》の問題《もんだい》みたいな設定《せってい》だが、テストの題材《だいざい》と違《ちが》うのは、そのスケールだ。

劇中《げきちゅう》、中川《なかがわ》が塀《へい》に沿《そ》って走《はし》った道路《どうろ》は公道《こうどう》だったので、車《くるま》は時速《じそく》60㎞で走《はし》っていたと仮定《かてい》しよう。この速度《そくど》で10分《ぷん》かかる距離《きょり》とは10㎞だが、これが門《もん》と門《もん》のあいだの距離《きょり》とはいえない。塀沿《へいぞ》いの道路《どうろ》は両側通行《りょうがわつうこう》だったから、その道《みち》に出《で》た中川《なかがわ》は、左右《さゆう》にある門《もん》のうち、近《ちか》いほうを目指《めざ》したはずだ。その門《もん》までの距離《きょり》が10㎞ということは、門《もん》と門《もん》のあいだの距離《きょり》は20㎞以上《いじょう》あったこと

になる。

このような門《もん》が12もあったら、敷地《しきち》の外周《がいしゅう》は２４０㎞。敷地《しきち》が正方形《せいほうけい》だったら、一辺《いっぺん》の長《なが》さは60㎞ということになる。これは、品川《しながわ》から三浦半島《みうらはんとう》の先端《せんたん》までと同《おな》じ！　面積《めんせき》は３６００㎢。なんと東京都《とうきょうと》や大阪府《おおさかふ》より広《ひろ》い！

西澤家《にしざわけ》はどうか。ケロロ軍曹《ぐんそう》と冬樹《ふゆき》が、西澤家《にしざわけ》に住《す》むタママ二等兵《にとうへい》を訪《たず》ねて遊《あそ》びにいったことがある。２人《ふたり》が西澤邸駅《にしざわていえき》に降《お》り立《た》つと、執事《しつじ》のポールがリムジンで迎《むか》えにきていた。そこから一直線《いっちょくせん》の道《みち》を走《はし》って、屋敷《やしき》の建物《たてもの》に着《つ》くまで25分《ふん》かかった。

ここでもリムジンが時速《じそく》60㎞で走《はし》っていたとすると、西澤邸駅《にしざわていえき》から西澤邸《にしざわてい》まで25㎞あったことになる。西澤邸駅《にしざわていえき》が敷地《しきち》の端《はし》にあり、西澤邸《にしざわてい》が敷地《しきち》のど真《ま》ん中《なか》にあったとすれば、敷地《しきち》の一辺《いっぺん》は50㎞。敷地《しきち》がやはり正方形《せいほうけい》だったら、面積《めんせき》は2500㎢だ。こちらも、東京《とうきょう》や大阪《おおさか》より広《ひろ》い！

驚《おどろ》いた。どちらも個人《こじん》の屋敷《やしき》が、都道府県《とどうふけん》クラスの面積《めんせき》！　比較《ひかく》すると、中川邸《なかがわてい》のほうが1・4倍《ばい》ほど広《ひろ》いことにはなるが……。

◆金《かね》の使《つか》い方《かた》が豪快《ごうかい》なのはどっち!?

では、お金《かね》の使《つか》い方《かた》は、どうだろうか。マンガを読《よ》み比《くら》べると、両家《りょうけ》ともに、船《ふね》のチャーター、宇宙《うちゅう》、軍事《ぐんじ》の3分野《ぶんや》で、豪快《ごうかい》なことをやっている。
◎西澤家《にしざわけ》の場合《ばあい》――
【船《ふね》】クリスマスに世界各国《せかいかっこく》の首脳《しゅのう》を招待《しょうたい》し、豪華客船《ごうかきゃくせん》クイーン・エリザベス二世号《にせいごう》でパーティーを開《ひら》いた。

【宇宙《うちゅう》】スペースシャトルのミッション1回《かい》の費用《ひよう》を全額出資《ぜんがくしゅっし》し、西澤《にしざわ》コンツェルン専用衛星《せんようえいせい》を打《う》ち上《あ》げている。

【軍事《ぐんじ》】桃華《ももか》には銃《じゅう》で武装《ぶそう》した専属《せんぞく》の護衛部隊《ごえいぶたい》をつけている。

◎中川家《なかがわけ》の場合《ばあい》――

【船《ふね》】米軍《べいぐん》の空母《くうぼ》を借《か》りて艦上《かんじょう》でモトクロス大会《たいかい》を開《ひら》いた。

【宇宙《うちゅう》】グループに中川宇宙開発《なかがわうちゅうかいはつ》センターがあり、中川《なかがわ》はそこから打《う》ち上《あ》げた有人衛星《ゆうじんえいせい》の一《ひと》つを別荘《べっそう》にしている。

【軍事《ぐんじ》】中川自身《なかがわじしん》は銃《じゅう》や戦闘機《せんとうき》を集《あつ》め、祖父《そふ》のポール中川《なかがわ》は潜水艦《せんすいかん》や戦艦《せんかん》をコレクションし、父《ちち》の龍一郎《りゅういちろう》は護衛《ごえい》ヘリに護《まも》られて日本《にほん》に降《お》り立《た》った。

う～む、どちらもモノスゴイ……。これはもう単《たん》なる金持《かねも》ちというレベルを超《こ》えて、別世界《べっせかい》の住人《じゅうにん》たちだ。こちらの世界《せかい》に住《す》む筆者《ひっしゃ》には、いくら使《つか》ったのか想像《そうぞう》もつきません。

◆稼《かせ》いでいるのはどっち!?

これまでの要素《ようそ》からは、どちらが金持《かねも》ちかを判定《はんてい》するのは難《むずか》しい。もっとも手《て》っ取《と》り早《ばや》いのは、両家《りょうけ》の資産《しさん》や収入《しゅうにゅう》を比較《ひかく》することだろう。

これについては、それぞれの父親《ちちおや》がヒントになる発言《はつげん》をしている。

桃華《ももか》の父《ちち》の梅雄《ばいお》は「世界経済《せかいけいざい》の半分《はんぶん》を支配《しはい》する」。

中川《なかがわ》の父《ちち》の龍一郎《りゅういちろう》は「1秒《びょう》に1億稼《おくかせ》ぐ」。

こりゃあいったい、どっちがスゴイんだっ⁉

梅雄《ばいお》がこの発言《はつげん》をしたのは、2002年《ねん》「月刊少年《げっかんしょうねん》エース」誌《し》に掲載《けいさい》された話《はなし》のなかだった。前年《ぜんねん》の2001年《ねん》の国内総生産《こくないそうせいさん》(GDP=個人《こじん》や企業《きぎょう》が稼《かせ》いだお金《かね》)の世界総額《せかいそうがく》は、32兆《ちょう》1299億《おく》ドル。当時《とうじ》のお金《かね》の交換《こうかん》レート「1ドル=120円《えん》」で計算《けいさん》すると、3855兆《ちょう》5880億円《おくえん》である。西澤《にしざわ》コンツェルンは、グループ全体《ぜんたい》で、この半分《はんぶん》の売《う》り上《あ》げがあるということだろうか？　だとしたら、西澤《にしざわ》コンツェルンの総売《そうう》り上《あ》げは1927兆《ちょう》7940億円《おくえん》。ぬわんと日本《にほん》の国家予算《こっかよさん》の20年分《ねんぶん》だあ！

さすがの中川《なかがわ》コンツェルンも、これに勝《か》てるのだろうか？　龍一郎《りゅういちろう》の言《い》う「1億《おく》」というのが1億円《おくえん》のことだとして、グループ全体《ぜんたい》で1秒間《びょうかん》にそれだけの売《う》り上《あ》げがあるとしたら、1日《にち》で8兆《ちょう》6400億円《おくえん》、1年《ねん》で3155兆《ちょう》7600億円《おくえん》！　どっひゃ〜〜っ！

屋敷《やしき》の広《ひろ》さも、グループの総売《そうう》り上《あ》げも、メチャクチャ高《たか》い水準《すいじゅん》での勝負《しょうぶ》となったが、ともに中川家《なかがわけ》の勝利《しょうり》である。しかし、もうこのレベルになると、負《ま》けたからって、別《べつ》にどうということはありませんな。

とっても気《き》になる特撮《とくさつ》の疑問《ぎもん》

『仮面《かめん》ライダードライブ』では体《からだ》のタイヤが高速回転《こうそくかいてん》していますが、危険《きけん》じゃないですか？

『仮面《かめん》ライダードライブ』は、ついにバイクではなく車《くるま》を運転《うんてん》するようになった仮面《かめん》ライダーだ。だったらもう「仮面《かめん》ドライバー」と呼《よ》んだほうがストレートな気《き》もするが、それだとなんだか「仮面浪人《かめんろうにん》」とか「仮面夫婦《かめんふうふ》」とか、本心《ほんしん》を隠《かく》して生《い》きる人々《ひとびと》のようなムードが漂《ただよ》う。「車《くるま》を運転《うんてん》してるけど、ホントはバイクに乗《の》りたいんだよぉ」とか。日本語《にほんご》のニュアンスは難《むずか》しいですな。

科学《かがく》に全然関係《ぜんぜんかんけい》ない話《はなし》はともかく、この記念《きねん》すべきライダーに変身《へんしん》するのは、警視庁特状課《けいしちょうとくじょうか》の泊進ノ介巡査《とまりしんのすけじゅんさ》。敵《てき》に「ひとっ走《ぱし》りつき合《あ》えよ」と言《い》ったり、推理《すいり》が冴《さ》えると「脳細胞《のうさいぼう》がトップギアだぜ！」と絶叫《ぜっきょう》したり、車《くるま》へのこだわりはただごとではない。

変身《へんしん》も、車《くるま》の要素《ようそ》が満載《まんさい》だ。変身《へんしん》ベルト「ドライブドライバー」のキーを回《まわ》し、左手《ひだりて》の「シフトブレス」にミニカーのような「シフトカー」を装填《そうてん》し「変身《へんしん》！」と叫《さけ》ぶ。シフトカーには多数《たすう》の種類《しゅるい》があり、最初《さいしょ》に装填《そうてん》するシフトカーによって「タイプスピード」「タイプワイルド」「タイプテクニック」になる。直後《ちょくご》、スポーツカーの「トライドロン」の左前輪《ひだりぜんりん》からタイプに応《おう》じたタイヤが発射《はっしゃ》され、ドライブの体《からだ》に装着《そうちゃく》される！

また、その後《ご》シフトカーをチェンジすると、ドライブドライバーから「タイヤコウカーン」という人工音声《じんこうおんせい》が流《なが》れ、新《あら》たなタイヤが飛《と》んできて、装着中《そうちゃくちゅう》のタイヤを弾《はじ》き飛《と》ばして装着《そうちゃく》される。体《からだ》にタイヤを装着《そうちゃく》するとは、車《くるま》へのこだわりも徹底《てってい》しているが、危険《きけん》はないのだろうか？

◆タイヤが飛《と》んでくる！

タイプスピードの場合《ばあい》、タイヤは左肩《ひだりかた》から右脇《みぎわき》にかけて、選挙《せんきょ》の候補者《こうほしゃ》のタスキのように装着《そうちゃく》される。タイヤはホイールがついたまま飛《と》んできて、左肩《ひだりかた》にぶつかると金属音《きんぞくおん》が響《ひび》き、火花《ひばな》が散《ち》って装着《そうちゃく》されるのだ。あたかもタイヤが体《からだ》を貫通《かんつう》したかに見《み》えるが、それでは泊巡査《とまりじゅんさ》が殉職《じゅんしょく》してしまうので、おそらくぶつかる直前《ちょくぜん》に、タイヤはホイールを収納《しゅうのう》したうえに「C」の字型《じがた》などに変形《へんけい》し、肩《かた》をすり抜《ぬ》けるのでしょうなあ。

それでも、体《からだ》に受《う》ける衝撃《しょうげき》は小《ちい》さくないはずだ。金属音《きんぞくおん》や火花《ひばな》が上《あ》がる点《てん》から、タイヤはかなり硬《かた》いと思《おも》われる。

衝撃《しょうげき》の大《おお》きさは、タイヤの重《おも》さとぶつかる速《はや》さで決《き》まる。トライドロンのタイヤと比《くら》べると、直径《ちょっけい》は8割《わり》、幅《はば》は4割《わり》。スポーツカーのタイヤはホイールを含《ふく》めて20kgほどなので、装着《そうちゃく》されるタイヤは5・4kgほどと見《み》られる。またタイヤは、直径《ちょっけい》5m前後《ぜんご》の半円《はんえん》を0・8秒《びょう》で飛《と》んでいた。ここから速度《そくど》を計算《けいさん》すると、時速《じそく》35kmになる。5・4kgの物体《ぶったい》がこのスピードでぶつかる衝撃《しょうげき》は、プロ野球選手《やきゅうせんしゅ》のフルスイングの1・5倍《ばい》！　そりゃ火花《ひばな》も散《ち》るなあ。

では、タイヤ交換《こうかん》は、どうなのか。装着《そうちゃく》だけでも衝撃《しょうげき》を受《う》けるのに、すでに装着《そうちゃく》されているタイヤを弾《ひ》き飛《と》ばしたりするとすごいショックが……あ。これは逆《ぎゃく》だ！

机《つくえ》に10円玉《えんだま》を置《お》き、別《べつ》の10円玉《えんだま》を指《ゆび》で弾《はじ》いて、ぶつけてみよう。置《お》いた10円玉《えんだま》は弾《はじ》き飛《と》ばされ、ぶつけた10円玉《えんだま》はその場《ば》に残《のこ》るはずだ。硬《かた》くて重《おも》さの等《ひと》しいものをぶつけると、ぶつけた物体《ぶったい》の運動《うんどう》エネルギーは、そのまま標的《ひょうてき》の物体《ぶったい》に受《う》け継《つ》がれる。

ということは、新《あたら》しいタイヤがぶつかる衝撃《しょうげき》は、すでに装着《そうちゃく》していたタイヤを弾《はじ》き飛《と》ばすのに使《つか》われ、ドライブの体《からだ》には加《くわ》わらないはずだ。つまり、危《あぶ》なそうに見《み》えたタイヤ交換《こうかん》のほうが安全《あんぜん》ということだ！

◆思《おも》うように動《うご》けない

さらに考《かんが》えたいのは、体《からだ》に装着《そうちゃく》したタイヤを回転《かいてん》させるという行為《こうい》である。この回転《かいてん》にも数種《すうしゅ》類《るい》あり、タイプスピードのタイヤが激《はげ》しく回転《かいてん》すると、自分《じぶん》も速《はや》く動《うご》ける。ファンキースパイクというシフトカーを装填《そうてん》すると、トゲの生《は》えたタイヤが高速回転《こうそくかいてん》し、敵《てき》を切《き》り裂《さ》く！　モーレツに危《あぶ》ない技《わざ》に見《み》えるが、実際《じっさい》にモノスゴク危《あぶ》ないと思《おも》う。回転中《かいてんちゅう》に転《ころ》んだら、猛《もう》スピードでゴロゴロ転《ころ》がっていってしまう。トゲつきのタイヤなど自分《じぶん》の胸《むね》で回《まわ》したら、腕組《うでぐ》みしただけで腕《うで》が飛《と》ぶ。だが、筆者《ひっしゃ》の心配《しんぱい》はそれだけではない。

たとえば、回《まわ》っているコマを叩《たた》くなどして傾《かたむ》かせると、コマは首《くび》を振《ふ》りながらも倒《たお》れずに回《まわ》り続《つづ》ける。首《くび》を振《ふ》る方向《ほうこう》は、コマの回転方向《かいてんほうこう》と同《おな》じだ。これによって、たとえばコマが時計回《とけいまわ》りに回《まわ》っているとき、北《きた》へ傾《かたむ》くと、首《くび》を東《ひがし》に振《ふ》るので、倒《たお》れることはない。

すると、体《からだ》に装着《そうちゃく》したタイヤを高速回転《こうそくかいてん》させるドライブはどうなる？　体《からだ》の向《む》きを変《か》えようとすれば、体《からだ》は勝手《かって》に、それとは垂直《すいちょく》な向《む》きに動《うご》いてしまうのだ！

劇中《げきちゅう》、トゲつきタイヤを食《く》らった敵《てき》は、体《からだ》を切《き》り裂《さ》かれながら上空《じょうくう》へぶっ飛《と》んだ。これは、体《からだ》の前《まえ》では、タイヤが右脇《みぎわき》から左肩《ひだりかた》へ上《あ》がる方向《ほうこう》に回《まわ》っていたということだ。この回転《かいてん》の向《む》きなら、体《からだ》を左《ひだり》に向《む》けようとすると、実際《じっさい》には仰《あおむ》けにのけ反《ぞ》ってしまう！　トゲつきタイヤの回転数《かいてんすう》が現《げん》

実世界《じっせかい》の回転《かいてん》ノコと同《おな》じ毎分《まいふん》5千回《せんかい》で、その動作《どうさ》を0・2秒《びょう》でやったとすると、働《はたら》く力《ちから》は130kg。タイプスピードの体重《たいじゅう》は102kgだ。体重《たいじゅう》を超《こ》える力《ちから》が、いきなり予想外《よそうがい》の方向《ほうこう》からかかったら、いくらライダーでもぶっ倒《たお》れるのでは……。

だが、ドライブは慌《あわ》てず騒《さわ》がず、戦《たたか》い続《つづ》ける。筋力《きんりょく》が並外《なみはず》れているのか、トップギアの脳細《のうさい》胞《ぼう》で、的確《てきかく》に対処《たいしょ》しているのか。いずれにしても、すごいヒトです。

とっても気《き》になるアニメの疑問《ぎもん》

『宇宙戦艦《うちゅうせんかん》ヤマト』のデスラー総統《そうとう》など、悪役《あくやく》は古《ふる》くさい言葉《ことば》で話《はな》します。なぜですか？

マンガやアニメには「お約束《やくそく》」が多《おお》いが、そのひとつが「悪役《あくやく》は古《ふる》くさい言葉《ことば》で話《はな》す」だろう。『映画《えいが》プリキュアオールスターズNew Stage《ニューステージ》 みらいのともだち』の敵《てき》も「我《わ》が名《な》はフユージョン」と時代《じだい》を疑《うたが》う自己紹介《じこしょうかい》をしていたし、『映画《えいが》ドラえもん のび太《た》の魔界大冒険《まかいだいぼうけん》』の大魔王《だいまおう》も「怪《あや》しい者《もの》は、すべて逃《に》がすではない！」と江戸時代《えどじだい》の人《ひと》のような口調《くちょう》で命令《めいれい》していた。

これは筆者《ひっしゃ》が子《こ》どもの頃《ころ》からそうで、『宇宙戦艦《うちゅうせんかん》ヤマト』のデスラー総統《そうとう》も『仮面《かめん》ライダー』のショッカーの首領《しゅりょう》も、使《つか》う言葉《ことば》は古色蒼然《こしょくそうぜん》。たとえば、デスラー総統《そうとう》は「諸君《しょくん》、ヤマトの最期《さいご》には拍手《はくしゅ》のはなむけを忘《わす》れぬようにな」、ショッカー首領《しゅりょう》は「栄光《えいこう》あるショッカー日本支部《にほんしぶ》の諸《しょ》

君《くん》」といった調子《ちょうし》。ていねいな言葉《ことば》づかいともいえるが、日常生活《にちじょうせいかつ》ではまず耳《みみ》にしない表現《ひょうげん》だ。

悪《あく》の首魁《しゅかい》は、なぜわざわざ時代《じだい》がかった言葉《ことば》づかいをするのだろうか。ここでは、筆者《ひっしゃ》が昔《むかし》から気《き》になっていた『ヤマト』のデスラー総統《そうとう》を例《れい》に考《かんが》えよう。

◆ガミラス社会《しゃかい》では、筆者《ひっしゃ》は死刑《しけい》だ！

デスラー総統《そうとう》が統《す》べるガミラス帝星《ていせい》は、徹底《てってい》した独裁体制《どくさいたいせい》だった。

たとえば、ガミラスが誇《ほこ》る猛将《もうしょう》・ドメル将軍《しょうぐん》がヤマトを倒《たお》す作戦《さくせん》を立《た》て、実際《じっさい》に絶体絶命《ぜったいぜつめい》に追《お》い込《こ》んだときのこと。デスラー総統《そうとう》から電話《でんわ》がかかってきた。

「君《きみ》はとんでもない浪費家《ろうひか》だよ。やめてくれたまえ」。ドメルの作戦《さくせん》は、確《たし》かに自軍《じぐん》の基地《きち》を犠《ぎ》牲《せい》にするものだったが、すでにヤマトの殲滅《せんめつ》は確実《かくじつ》という段階《だんかい》に入《はい》っていた。そんな完成目前《かんせいもくぜん》の仕事《しごと》ですら、デスラー総統《そうとう》は「鶴《つる》の一声《ひとこえ》」で無《む》にできるのだ。

また、ガミラス軍《ぐん》の幹部《かんぶ》を集《あつ》めた集会《しゅうかい》で、デスラー総統《そうとう》が「諸君《しょくん》、宇宙戦艦《うちゅうせんかん》ヤマトの無事《ぶじ》を祈《いの》って乾杯《かんぱい》しようではないか」と、皮肉《ひにく》めいた冗談《じょうだん》を言《い》ったことがある。

それに対《たい》して、ある幹部《かんぶ》が「うわっはっはっはっは。ヤマトの無事《ぶじ》を祈《いの》って!?　これは面白《おもしろ》い。総《そう》統《とう》も相当《そうとう》、冗談《じょうだん》がお好《す》きなようで」と言《い》った。説明《せつめい》するまでもないと思《おも》うけど、「総統《そうとう》も相当《そうとう》」

というところが駄洒落《だじゃれ》になっているわけですね。

それを聞《き》いたデスラーは、不快《ふかい》な表情《ひょうじょう》で手元《てもと》のボタンを操作《そうさ》。すると、床《ゆか》がパカッと開《ひら》いて、その幹部《かんぶ》は奈落《ならく》の底《そこ》へ落《お》とされてしまった。総統《そうとう》は冷《つめ》たく言《い》う。「ガミラスに下品《げひん》な男《おとこ》は不要《ふよう》だ」。

うひょ〜、冗談《じょうだん》がサムイだけで死刑《しけい》！　筆者《ひっしゃ》がガミラス星人《せいじん》だったら、間違《まちが》いなく3日《か》に一度《いちど》は処刑《しょけい》されると思《おも》います〜。

こういう恐《おそ》ろしい縦社会《たてしゃかい》を維持《いじ》するには、権力《けんりょく》を誇示《こじ》する大仰《おおぎょう》な話《はな》し方《かた》が必要《ひつよう》なのかも。総統《そうとう》の立場《たちば》を慮《おもんぱか》るならば、まあ、それはわからぬでもないが。……あ、デスラー化《か》しちゃった！

◆すごい翻訳機《ほんやくき》があった!?

わからないのは、デスラーがヤマトのクルーたちと会話《かいわ》をするときも、同《おな》じように古《ふる》くさい話《はな》し方《かた》をすることだ。たとえば、大《だい》ヒットした劇場版《げきじょうばん》アニメ『さらば宇宙戦艦《うちゅうせんかん》ヤマト　愛《あい》の戦士《せんし》たち』で、ヤマトのスクリーンに姿《すがた》を現《あらわ》したデスラーは、こう言《い》っている。

「大《だい》ガミラスは永遠《えいえん》だ。わがガミラスの栄光《えいこう》は不滅《ふめつ》なのだよ。ヤマトの諸君《しょくん》、気《き》の毒《どく》だがまもなく諸君《しょくん》には死《し》んでもらうことになるだろう」

デスラー総統《そうとう》はガミラス星人《せいじん》だから、ガミラスの言葉《ことば》を話《はな》しているはずだ。また、テレビアニメ第《だい》1作《さく》で、ガミラスの兵士《へいし》が「ツバクカンサルマ！」と命令《めいれい》するのを、ロボットのアナライザーが「向《む》こうの戦車《せんしゃ》に乗《の》れ」と訳《やく》すシーンがあった。ここから、ガミラスの言葉《ことば》は日本語《にほんご》と大《おお》きく違《ちが》うこと、また地球人《ちきゅうじん》はガミラス語《ご》を理解《りかい》しないことは確実《かくじつ》だ。

ところが、デスラー総統《そうとう》が右《みぎ》のセリフを述《の》べたとき、誰《だれ》かが翻訳《ほんやく》したわけでもないのに、ヤマトのクルーたちは総統《そうとう》の言葉《ことば》を理解《りかい》していた。おそらくヤマトには優《すぐ》れた翻訳機《ほんやくき》が装備《そうび》されていて、デスラー総統《そうとう》の言葉《ことば》も、それを通《とお》してクルーたちに伝《つた》わったのだろう。つまり、ヤマトのクルーにとって、デスラー総統《そうとう》が仰々《ぎょうぎょう》しい話《はな》し方《かた》をしたように感《かん》じられたのは、翻訳機《ほんやくき》がそういう日本語訳《にほんごやく》をしたから、ということになる。

これ、なかなかすごい翻訳機《ほんやくき》ではないだろうか？　ちょっと実験《じっけん》してみよう。ガミラス語《ご》の代《か》わりに英語《えいご》を使《つか》い、まず帰国子女《きこくしじょ》の友人《ゆうじん》に、右《みぎ》のセリフを英訳《えいやく》してもらった。

The Great Gamilas Empire is eternal. The glory of our Gamilas will last forever. People of Yamato, it is such a pity that all of you are destined to die soon.

これを翻訳《ほんやく》ソフトにかけると、こんな文《ぶん》が出《で》てきた。

「偉大《いだい》なガミラス帝国《ていこく》は永遠《えいえん》です。私《わたし》たちのガミラスの栄光《えいこう》は永遠《えいえん》に続《つづ》きます。ヤマトの人々《ひとびと》、あなたたち全員《ぜんいん》がすぐ死《し》ぬ運命《うんめい》にあることは、残念《ざんねん》です」

うひゃ〜、威厳《いげん》も何《なに》もあったもんではない！

◆真田《さなだ》さんは時代劇《じだいげき》が好《す》き

これと比較《ひかく》すると、ヤマトの翻訳機《ほんやくき》のすごさがわかるだろう。並《な》みの翻訳機《ほんやくき》なら「ヤマトの人々《ひとびと》」と訳《やく》すところを、この翻訳機《ほんやくき》は「ヤマトの諸君《しょくん》」と訳《やく》したのだ。

ここから先《さき》は筆者《ひっしゃ》の想像《そうぞう》だが、ヤマトの翻訳機《ほんやくき》がそういう訳《やく》をしたのは、おそらく話《はな》している人《ひと》の年齢《ねんれい》、性別《せいべつ》、社会的地位《しゃかいてきちい》などに応《おう》じて、声《こえ》のトーンや使用《しよう》する言葉《ことば》を選《えら》んだからだろう。

この優秀《ゆうしゅう》な翻訳機《ほんやくき》を作《つく》ったのは誰《だれ》か？　筆者《ひっしゃ》が思《おも》うに、きっと科学班《かがくはん》リーダーの真田《さなだ》さんだ！

このヒトは、イスカンダル星《せい》のスターシャからのメッセージも解読《かいどく》し、ヤマトのピンチを何度《なんど》も救《すく》ったすごい科学者《かがくしゃ》なのだ。真田《さなだ》さんなら、こういう翻訳機《ほんやくき》も開発《かいはつ》できるかもしれない。

ということは、デスラー総統《そうとう》の言葉《ことば》が、大仰《おおぎょう》な古《ふる》くさい日本語《にほんご》に翻訳《ほんやく》されたのは、真田《さなだ》さんの頭《あたま》のなかに「悪《わる》いやつは古《ふる》い言葉《ことば》を使《つか》う」という固定観念《こていかんねん》があったから？　すると、そんな固定《こてい》観念《かんねん》を持《も》っていたのは、なぜ？

おそらく、真田《さなだ》さんが幼少期《ようしょうき》から接《せっ》してきた悪人《あくにん》たちが、そういう話《はな》し方《かた》をしていたからだろう。もちろん、真田《さなだ》さんが実際《じっさい》に悪人《あくにん》に囲《かこ》まれて成長《せいちょう》してきたとは思《おも》えないから、たぶんテレビ

などを通《つう》じて。

そして、テレビでいかにも悪《あく》人《にん》らしい話《はな》し方《かた》をする人々《ひとびと》といえば……悪代官《あくだいかん》とか、越後屋《えちごや》などの悪徳商人《あくとくしょうにん》。真田《さなだ》さんは、そういう番組《ばんぐみ》を幼《おさな》い頃《ころ》から熱心《ねっしん》に見《み》ていたに違《ちが》いないッ！

え〜と、デスラー総統《そうとう》の話《はな》し方《かた》から出発《しゅっぱつ》して、妄想《もうそう》に妄想《もうそう》を重《かさ》ねると「真田《さなだ》さんは時代劇《じだいげき》ファンだった」という魅惑《みわく》の大妄《だいもう》想《そう》に至《いた》りました。個人的《こじんてき》にはかなり納得《なっとく》していますが、どうでしょう。

とっても気《き》になる文学《ぶんがく》の疑問《ぎもん》

『走《はし》れメロス』において、メロスはどんな速《はや》さで走《はし》ったのでしょうか？

太宰治《だざいおさむ》の短編小説《たんぺんしょうせつ》『走《はし》れメロス』は、いまも昔《むかし》も中学校《ちゅうがっこう》の国語《こくご》の教科書《きょうかしょ》に載《の》っている。発表《はっぴょう》されたのは昭和《しょうわ》15年《ねん》（太平洋戦争《たいへいようせんそう》が始《はじ》まる前《まえ》の年《とし》！）で、筆者《ひっしゃ》も中学生《ちゅうがくせい》の頃《ころ》に読《よ》んだから、これはもう日本人《にほんじん》の心《こころ》に染《し》み込《こ》んだ物語《ものがたり》なのだろう。友情《ゆうじょう》の素晴《すば》らしさを称《たた》える小説《しょうせつ》だが、筆者《ひっしゃ》が抱《いだ》いた感《かん》想《そう》は「長距離走《ちょうきょりそう》は苦《くる》しそうだなあ」。われながらダメな中学生《ちゅうがくせい》であった。

心《こころ》を入《い》れ替《か》えていま読《よ》み返《かえ》すと、『走《はし》れメロス』とは次《つぎ》のような物語《ものがたり》である。

妹《いもうと》の結婚式《けっこんしき》の準備《じゅんび》をするため、十里《じゅうり》（40㎞）離《はな》れたシラクスの街《まち》にやってきたメロスは、許《ゆる》しがたい話《はなし》を聞《き》く。国王《こくおう》ディオニスが、親族《しんぞく》や家臣《かしん》が自分《じぶん》を裏切《うらぎ》るかもしれないと疑《うたが》い、どんどん処《しょ》

刑《けい》しているというのだ。怒《おこ》ったメロスは王《おう》を殺《ころ》そうと城《しろ》へ行《い》くが、たちまち捕《つか》まってしまう。

メロスは死《し》を覚悟《かくご》するが、妹《いもうと》の結婚式《けっこんしき》だけは挙《あ》げてやりたかった。そこで「処刑《しょけい》までに三日《みっか》の日限《にちげん》を与《あた》えてください」と頼《たの》むが、王《おう》は笑《わら》って相手《あいて》にしない。しかたなく、メロスはシラクスに住《す》む親友《しんゆう》のセリヌンティウスを人質《ひとじち》とすることを申《もう》し出《で》る。

王《おう》は許《ゆる》しを与《あた》えるが、その言葉《ことば》は「三日目《みっかめ》には日没《にちぼつ》までに帰《かえ》って来《こ》い。おくれたら、その身代《みが》わりを、きっと殺《ころ》すぞ。ちょっとおくれて来《く》るがいい。おまえの罪《つみ》は、永遠《えいえん》にゆるしてやろうぞ」。

王《おう》は、メロスが自分《じぶん》の命《いのち》を惜《お》しんで、親友《しんゆう》を身代《みが》わりにしたと思《おも》っているのだ。

メロスは村《むら》へ帰《かえ》って結婚式《けっこんしき》を済《す》ませると、3日目《かめ》の朝《あさ》、村《むら》を発《た》つ。前日《ぜんじつ》の雨《あめ》で氾濫《はんらん》した川《かわ》を泳《およ》ぎ切《き》り、山賊《さんぞく》の包囲網《ほういもう》を突破《とっぱ》し、疲労《ひろう》で一度《いちど》は心《こころ》が折《お》れそうになりながらも、走《はし》りに走《はし》ったメロスは、ついに刻限《こくげん》の日没《にちぼつ》に間《ま》に合《あ》う……。

本稿《ほんこう》では、この物語《ものがたり》を科学的《かがくてき》に考《かんが》えてみよう。メロスの走《はし》りとは、どんなものであったのか？

◆ぶらぶら歩《ある》きでも間《ま》に合《あ》った？

まず、物語《ものがたり》の舞台《ぶたい》を確認《かくにん》しておこう。シラクスは、イタリアのシチリア島《とう》に実在《じつざい》する都市《とし》だ。

帰《かえ》り道《みち》の後半《こうはん》、メロスは灼熱《しゃくねつ》の太陽《たいよう》に苦《くる》しめられたから、季節《きせつ》は夏《なつ》だったと思《おも》われる。

シチリア島《とう》のある地中海《ちちゅうかい》は「太陽《たいよう》がいっぱい」というイメージだが、意外《いがい》に北《きた》にある。シラクスの北緯《ほくい》は37度《ど》で、福島県《ふくしまけん》いわき市《し》や、新潟県上越市《にいがたけんじょうえつし》とほぼ同《おな》じ。だがこれは、メロスにとっていい条件《じょうけん》だ。夏《なつ》はもともと日《ひ》が長《なが》いうえに、緯度《いど》が高《たか》いほど昼間《ひるま》は長《なが》くなるからだ。

メロスが出発《しゅっぱつ》したのは、3日目《かめ》の「薄明《はくめい》の頃《ころ》」。薄明《はくめい》とは「日《ひ》の出《で》の1時間前《じかんまえ》の空《そら》が白《しら》む時刻《じこく》」のことだ。7月末《がつまつ》、北緯《ほくい》37度《ど》地点《ちてん》の日《ひ》の出《で》は午前《ごぜん》4時《じ》30分《ぷん》だから、薄明《はくめい》は午前《ごぜん》3時《じ》30分《ぷん》。そして、刻限《こくげん》の日没《にちぼつ》は午後《ごご》7時過《じす》ぎなので、なんと15時間《じかん》30分《ぷん》もある！

この時間《じかん》を使《つか》って、村《むら》からシラクスまでの十里《じゅうり》＝40㎞を走《はし》り切《き》ればいいのだ。これは……意外《いがい》と楽勝《らくしょう》ではないか？　40㎞を15時間《じかん》30分《ぷん》で走破《そうは》するには、平均時速《へいきんじそく》2・6㎞で歩《ある》けばよい。人間《にんげん》が普通《ふつう》に歩《ある》く速度《そくど》は時速《じそく》3〜4㎞だから、ぶらぶら歩《ある》きでも間《ま》に合《あ》うだろう。

だが、後半《こうはん》メロスは血《ち》を吐《は》きながら走《はし》り、日没《にちぼつ》にギリギリで間《ま》に合《あ》った。15時間半《じかんはん》もあったのに、いったいなぜそんなことになったのか？

王《おう》と約束《やくそく》したあとのメロスの行動《こうどう》を見《み》てみよう。

シラクスを発《た》ったメロスが村《むら》に着《つ》いたのは、翌日《よくじつ》の午前《ごぜん》だった。約束《やくそく》の3日《か》のうちの1日目《にちめ》である。その足《あし》で妹《いもうと》のところへ行《い》き、「シラクスに用事《ようじ》を残《のこ》してきたので、結婚式《けっこんしき》は明日《あした》やろう」と提案《ていあん》する。いったん夜《よる》まで眠《ねむ》り、今度《こんど》は花婿《はなむこ》の家《いえ》へ行《い》って「結婚式《けっこんしき》を明日《あした》にしてくれ」と頼《たの》むが、花婿《はなむこ》さんにしてみれば急《きゅう》な話《はなし》である。「まだ準備《じゅんび》が整《ととの》わない」などと理由《りゆう》を述《の》べてなかなか承諾《しょうだく》しない。結局《けっきょく》、メロスは花婿《はなむこ》を説得《せっとく》するのに夜明《よあ》けまでかかってしまった。

2日目《かめ》、結婚式《けっこんしき》は真昼《まひる》に始《はじ》まった。朝《あさ》から準備《じゅんび》にかかったとすれば、明《あ》け方《がた》まで花婿《はなむこ》を説得《せっとく》していたメロスは2〜3時間《じかん》しか寝《ね》ていなかったことになる。祝宴《しゅくえん》は、夜《よる》に入《はい》っていよいよ乱《みだ》れ華《はな》やかになる。メロスは、翌日《よくじつ》の出発《しゅっぱつ》に備《そな》えて眠《ねむ》りに就《つ》くが、寝《ね》たのが12時《じ》なら、起《お》きたのが午前《ごぜん》3時《じ》30分《ぷん》だから、睡眠時間《すいみんじかん》は3時間半《じかんはん》。このヒト、2日連続《かれんぞく》で寝不足《ねぶそく》だったわけである。

いよいよ3日目《かめ》、薄明《はくめい》に目覚《めざ》めたメロスは、雨中《うちゅう》を矢《や》のごとく走《はし》り出《で》る。日《ひ》が高《たか》く昇《のぼ》る頃《ころ》、余《よ》裕《ゆう》を取《と》り戻《もど》したメロスは、歌《うた》など歌《うた》いながら本当《ほんとう》にぶらぶら歩《ある》き始《はじ》めるが、里程《りてい》の半分《はんぶん》ほどまで来《き》たところで、睡眠不足《すいみんぶそく》に続《つづ》く第《だい》2の障害《しょうがい》が。前夜《ぜんや》からの雨《あめ》で川《かわ》が氾濫《はんらん》していたのだ。

ところが、それは真昼時《まひるどき》だった。道《みち》のりの半分《はんぶん》でもう昼《ひる》ということは、メロスは20㎞に8時間《じかん》30分《ぷん》もかけたことになる。ぶらぶらしすぎだっつうの。

濁流《だくりゅう》を泳《およ》ぎ切《き》ったメロスに、第《だい》3の障害《しょうがい》が立《た》ちはだかる。息《いき》を切《き》らして峠《とうげ》を登《のぼ》ると、山賊《さんぞく》が現《あらわ》れたのだ。メロスは棍棒《こんぼう》を奪《うば》って3人《にん》を殴《なぐ》り倒《たお》し、残《のこ》る者《もの》のひるむ隙《すき》に峠《とうげ》を駆《か》け下《くだ》る。そして第《だい》4の障害《しょうがい》、灼熱《しゃくねつ》の太陽《たいよう》。メロスは眩暈《めまい》を起《お》こし、ついに立《た》てなくなる。典型的《てんけいてき》な熱中症《ねっちゅうしょう》だ。気力《きりょく》を失《うしな》ったメロスは、しばらくまどろむが、湧《わ》き水《みず》を飲《の》んで再《ふたた》び走《はし》り始《はじ》める。

◆そんなスピードで走《はし》るな！

メロスの最後《さいご》の走《はし》りは、壮絶《そうぜつ》であった。路行《みちい》く人《ひと》を押《お》しのけ、跳《は》ね飛《と》ばし、酒宴《しゅえん》のまっただ中《なか》を駆《か》け抜《ぬ》け、犬《いぬ》を蹴飛《けと》ばし、小川《おがわ》を飛《と》び越《こ》え、ほとんど全裸《ぜんら》となり、呼吸《こきゅう》もできず、口《くち》から血《ち》を噴《ふ》き出《だ》し、黒《くろ》い風《かぜ》のように走《はし》った。作中《さくちゅう》の表現《ひょうげん》によれば「少《すこ》しずつ沈《しず》んでゆく太陽《たいよう》の、十倍《ばい》も早《はや》く」。これは科学的《かがくてき》にも気《き》になる表現《ひょうげん》だ。いったいどれほどの速度《そくど》だったのか？

太陽《たいよう》が東《ひがし》から西《にし》へ動《うご》くのは、地球《ちきゅう》が西《にし》から東《ひがし》へ自転《じてん》しているからだ。北緯《ほくい》37度《ど》地点《ちてん》は、時速《じそく》１３００㎞で西《にし》から東《ひがし》へ動《うご》いている。「太陽《たいよう》の10倍《ばい》も速《はや》く」とは、言葉《ことば》どおりに受《う》け取《と》れば、時速《じそく》１３００㎞の10倍《ばい》、すなわち時速《じそく》１万《まん》３千《ぜん》㎞＝マッハ11！　どしぇ〜〜〜っ。

メロスが本当《ほんとう》にこの速度《そくど》で走《はし》ったら大変《たいへん》だ。本《ほん》には「路行《みちい》く人《ひと》を跳《は》ね飛《と》ばし」とあるが、その人《ひと》は、時速《じそく》１万《まん》３千《ぜん》㎞で宙《ちゅう》を舞《ま》い、１４００㎞の彼方《かなた》に落下《らっか》する。これは、東京《とうきょう》から鹿児島県《かごしまけん》の沖永良部島《おきのえらぶじま》までの距離《きょり》と同《おな》じだ。さらに気《き》の毒《どく》なのは「犬《いぬ》を蹴飛《けと》ばし」で、この犬《いぬ》は時速《じそく》２万《まん》７千《せん》㎞で蹴飛《けと》ばされ、落下点《らっかてん》は１万《まん》２千《せん》㎞の彼方《かなた》。東京《とうきょう》から南《みなみ》へ同《おな》じだけぶっ飛《と》ばされた場合《ばあい》、太平洋《たいへいよう》を越《こ》え、オーストラリア大陸《たいりく》を越《こ》え、南極大陸《なんきょくたいりく》に落下《らっか》する。い、生《い》きていたかなあ……。

もちろん、マッハ11なんかで走《はし》ったら、メロスも無事《ぶじ》ではすまない。３８０ｔの空気抵抗《くうきていこう》を受《う》け、服《ふく》が破《やぶ》れ、呼吸《こきゅう》もできず、内臓《ないぞう》の１つや２つ破裂《はれつ》して血《ち》を吐《は》き……あれれっ、小説《しょうせつ》に書《か》いて

あるとおり……!?
　いくらなんでも、生身《なまみ》のメロスがそんな速度《そくど》で走《はし》ったとは思《おも》えない。だが、時間《じかん》に余裕《よゆう》のあるときにぶらぶらしすぎたために、刻限《こくげん》ギリギリに命《いのち》を削《けず》る走《はし》りをしたことは事実《じじつ》。なんだか、原稿《げんこう》の締《し》め切《き》り直前《ちょくぜん》の筆者《ひっしゃ》みたいだ。そうか、日本人《にほんじん》のほとんどが読《よ》むこの小説《しょうせつ》は「時間《じかん》はじようずに使《つか》おう」と言《い》っているのだな。え？　まるで違《ちが》う？

とっても気《き》になるアニメの疑問《ぎもん》

『毎度《まいど》！ 浦安鉄筋家族《うらやすてっきんかぞく》』で、食《しょく》パンが屋根《やね》を突《つ》き破《やぶ》って飛《と》んでいきました。あり得《え》る現象《げんしょう》ですか？

週刊少年《しゅうかんしょうねん》チャンピオンで『浦安鉄筋家族《うらやすてっきんかぞく》』がスタートしたのは1993年《ねん》。連載《れんさい》は10年続《ねんつづ》き、2002年《ねん》に終《お》わったかと思《おも》ったら、3週間後《しゅうかんご》に『元祖《がんそ》！浦安鉄筋家族《うらやすてっきんかぞく》』が始《はじ》まった。この連載《れんさい》は10年《ねん》まで続《つづ》いて終了《しゅうりょう》……と思《おも》ったら、翌週《よくしゅう》から『毎度《まいど》！浦安鉄筋家族《うらやすてっきんかぞく》』が始《はじ》まった。要《よう》するに、チャンピオンでは、20年以上《ねんいじょう》ずーっと『浦筋《うらきん》』を連載《れんさい》しているのだ。ふとした日常《にちじょう》から常識《じょうしき》では考《かんが》えられない話《はなし》に発展《はってん》し、ちょっと下品《げひん》なところもあるけれど、実《じつ》に面白《おもしろ》いマンガである。

この『毎度《まいど》！浦筋《うらきん》』で、すごい事件《じけん》が描《えが》かれた。トースターでパンを焼《や》いたところ、焼《や》きあがったパンは屋根《やね》を突《つ》き破《やぶ》って、空高《そらたか》く飛《と》んでいったのだ！

常識《じょうしき》をブチ破《やぶ》るにもホドがあるが、これは万《まん》に一《ひと》つも起《お》こり得《う》る事態《じたい》だろうか？『毎度《まいど》！浦《うら》筋《きん》』はアニメ化《か》もされているので、ここでは状況《じょうきょう》のわかりやすいアニメ版《ばん》で考《かんが》えてみよう。

◆トースターもすごいが、パンもすごい

小学生《しょうがくせい》の小鉄《こてつ》は、ある朝《あさ》テーブルに見慣《みな》れないトースターがあるのに気《き》づいた。母《はは》の順子《じゅんこ》が説《せつ》明《めい》する。「古《ふる》いトースターがあったから出《だ》してみたのよ」。そう、大沢木家《おおさわぎけ》の大騒《おおさわ》ぎは、いつもこのように何気《なにげ》ないシーンから始《はじ》まるのだ。

そのトースターとは、上面《じょうめん》の穴《あな》から食《しょく》パンを縦《たて》に入《い》れ、レバーを下《さ》げてタイマーをセットするタイプ。電熱線《でんねつせん》でパンを焼《や》き、時間《じかん》が来《く》ると、チーンという音《おと》とともにバネでパンが飛《と》び上《あ》がるもので、昔《むかし》はトースターといえばこれだったのだ(あのエジソンが広《ひろ》めたらしいよ！)。

順子《じゅんこ》がトースターにパンを入《い》れ、やがて焼《や》き上《あ》がり……と思《おも》ったら、チーンという音《おと》と同時《どうじ》に飛《と》び出《だ》したパンは天井《てんじょう》を突《つ》き破《やぶ》る！　そのまま青空《あおぞら》へ消《き》えていく食《しょく》パン……。

こんな現象《げんしょう》を起《お》こすトースターももちろんすごいけれど、パンも侮《あなど》れないと筆者《ひっしゃ》は思《おも》う。そこで、近所《きんじょ》のスーパーへ行《い》き、6枚切《まいぎ》りの食《しょく》パンを買《か》ってきた。1枚《まい》を計《はか》ると、縦《たて》12・5cm、横《よこ》10cm、厚《あつ》さ2cm、重量《じゅうりょう》58g。そうか、これが屋根《やね》を突《つ》き破《やぶ》ったのか……。

遠《とお》い目《め》をしているヒマはない。室内《しつない》で飛《と》び上《あ》がった物体《ぶったい》が屋根《やね》を貫通《かんつう》するには、天井板《てんじょういた》、瓦《かわら》の下《した》に敷《し》いた板《いた》、瓦《かわら》の3つを破壊《はかい》せねばならない。これを食《しょく》パンがやったというのか!? パンの強《きょう》度《ど》は、明《あき》らかに木《き》の板《いた》を下回《したまわ》るから、天井板《てんじょういた》さえ破《やぶ》れないような気《き》がするが。

だが、強度《きょうど》ゼロの水《みず》も、速《はや》い水流《すいりゅう》にすればコンクリートを切断《せつだん》することもできるのだ。パンもエネルギーさえ充分《じゅうぶん》なら、屋根《やね》を貫《つらぬ》いても不思議《ふしぎ》はない。そう考《かんが》えて、食《しょく》パンが持《も》っていたエネルギーを求《もと》めてみよう。

◆パンが見《み》えなくなる距離《きょり》

トースターから発射《はっしゃ》された食《しょく》パンは、天井板《てんじょういた》に直径《ちょっけい》20㎝ほどの穴《あな》を開《あ》けた。瓦《かわら》の破壊状況《はかいじょうきょう》は、続《つづ》くシーンでわかる。母《はは》・順子《じゅんこ》が屋根《やね》に登《のぼ》って、壊《こわ》れた部分《ぶぶん》を修理《しゅうり》していたら、隣《となり》から食《しょく》パンが飛《と》び出《だ》した！　能天気《のうてんき》な大鉄《だいてつ》・小鉄《こてつ》父子《ちちこ》が第《だい》2撃《げき》を発射《はっしゃ》したのだ。

お母《かあ》さんに当《あ》たらなくて本当《ほんとう》によかったが、直撃《ちょくげき》した瓦《かわら》は割《わ》れ砕《くだ》け、周囲《しゅうい》4枚《まい》の瓦《かわら》も飛《と》んで、2mほど離《はな》れたところに落《お》ちた。屋根瓦《やねがわら》は通常《つうじょう》2・8㎏もの重《おも》さがあるが、それをパンが2mも飛《と》ばすとはオソロシイ。そして食《しょく》パンは、はるか上空《じょうくう》で3・5秒後《びょうご》に見《み》えなくなった。

横幅《よこはば》10㎝の食《しょく》パンが視力《しりょく》1の人《ひと》に見《み》えなくなる高度《こうど》とは333m。この高度《こうど》まで3・5秒《びょう》で達《たっ》したということは、パンは屋根《やね》から時速《じそく》340㎞、新幹線《しんかんせん》を超《こ》える速度《そくど》で飛《と》び出《だ》したことになる。しかもその前《まえ》に、右《みぎ》のような破壊《はかい》をしてエネルギーを失《うしな》っていたはずなのに。

天井板《てんじょういた》の厚《あつ》さを5㎜、瓦《かわら》に敷《し》いた板《いた》の厚《あつ》さを2㎜として計算《けいさん》すると、発射直後《はっしゃちょくご》に持《も》っていたエネルギーは、プロ野球選手《やきゅうせんしゅ》のフルスイング30発分《ぱつぶん》！ 打《う》ち出《だ》された速度《そくど》はマッハ1・8！ これを家庭用《かていよう》トースターがやったとは、あまりに危険《きけん》な家電《かでん》である。

◆このトースターは人間《にんげん》を飛《と》ばせる

トースターのパワーは、これに留《とど》まらなかった。小鉄《こてつ》が学校《がっこう》でトースターの話《はなし》をすると、友達《ともだち》が家《いえ》へ見《み》にくる。母《はは》・順子《じゅんこ》は「危《あぶ》ないから捨《す》てた」と言《い》っていたが、父《ちち》・大鉄《だいてつ》が「こんなおもしれえもの捨《す》てられるかよ」と隠《かく》し持《も》っていたのだ。

皆《みな》が見守《みまも》るなか発射《はっしゃ》すると、パンは天井《てんじょう》を突《つ》き破《やぶ》ったが、屋根《やね》から飛《と》び出《だ》さない。2階《かい》にある兄《あに》・晴郎《はるお》のゴミだらけの部屋《へや》で止《と》まっていたのだ。人々《ひとびと》が外《そと》へ出《で》て様子《ようす》を見《み》た瞬間《しゅんかん》、2階《かい》の屋根《やね》がグシャッと凹《へこ》む。どうやら、家《いえ》の構造《こうぞう》にかかわる大《おお》きな建材《けんざい》が破壊《はかい》されたらしい！

これは、屋根《やね》などとは比《くら》べものにならない破壊力《はかいりょく》では？と思《おも》って計算《けいさん》すると、一辺《いっぺん》12㎝の柱《はしら》または梁《はり》を破壊《はかい》するのに必要《ひつよう》なエネルギーは、プロ野球選手《やきゅうせんしゅ》のフルスイング17発分《はつぶん》。なるほど、フルスイング30発分《ぱつぶん》のトースターなら、家《いえ》だってカンタンに壊《こわ》せるわけですね〜。

そこまでの威力《いりょく》があると知《し》ってか知《し》らずか、どうしても食《しょく》パンを空《そら》へ打《う》ち上《あ》げたい大鉄《だいてつ》は、外《そと》でトースターにパンをセットする。折《お》りも折《お》り、そこへ母《はは》の順子《じゅんこ》が帰《かえ》ってきた。慌《あわ》ててトースターを足《あし》で隠《かく》そうとした大鉄《だいてつ》は、チーンという音《おと》も高《たか》らかに、大空高《おおぞらたか》く打《う》ち上《あ》げられてしまう！

あまりにオーバーな描写《びょうしゃ》だ、いくらなんでもトースターが人間《にんげん》を飛《と》ばせるはずは……と思《おも》って計算《けいさん》したところ、パンに屋根《やね》を突《つ》き破《やぶ》らせる威力《いりょく》があれば、体重《たいじゅう》70kgの人間《にんげん》を高度《こうど》34mまで打《う》ち上《あ》げられることが判明《はんめい》した。ビル11階《かい》の高《たか》さである！

いよいよ恐《おそ》るべきトースターだが、普通《ふつう》のトースターに比《くら》べて、どれほど強力《きょうりょく》なのか。

このトースターから発射《はっしゃ》された食《しょく》パンは、屋根《やね》などにぶつからなければ、上空《じょうくう》2万《まん》mまで上昇《じょうしょう》するはずだ。高度《こうど》2万《まん》mの気温《きおん》は氷点下《ひょうてんか》57℃だから、せっかくトースターで温《あたた》めたパンも凍《こお》ってしまうなあ。

残念《ざんねん》がっている場合《ばあい》ではない。通常《つうじょう》のトースターでパンが飛《と》び上《あ》がる高《たか》さは1㎝ほどだから、200万倍《まんばい》も強力《きょうりょく》ということだ。前述《ぜんじゅつ》したように、パンが飛《と》び上《あ》がるのはバネの力《ちから》によるものだから、おそらく200万倍《まんばい》も強力《きょうりょく》なバネが……はっ、バネ!?

そのバネを縮《ちぢ》めるには、人間《にんげん》がレバーを押《お》し下《さ》げなければならない。パンを2万《まん》mも打《う》ち上《あ》げ

られるバネを縮《ちぢ》めるには、どれほどの力《ちから》が必要《ひつよう》なのか。それは、レバーを押《お》し下《さ》げる距離《きょり》からわかる。アニメで確認《かくにん》すると、10cmほどだ。すると必要《ひつよう》な力《ちから》は、うえっ、47t!

　こ、こ、こんなに力持《ちからも》ちだったのか、大沢木家《おおさわぎけ》の人々《ひとびと》は!? ビックリすることばかりだが、逆《ぎゃく》に安心《あんしん》ともいえるかも。この危険《きけん》なトースターが一般家庭《いっぱんかてい》にあっても、誰《だれ》にもレバーを押《お》し下《さ》げることはできないから、まったく危険《きけん》はないということだ。

とっても気《き》になる特撮《とくさつ》の疑問《ぎもん》

野球場《やきゅうじょう》の地下《ちか》に秘密基地《ひみつきち》を作《つく》った戦隊《せんたい》ヒーローがいました。そんなことして大丈夫《だいじょうぶ》ですか!?

筆者《ひっしゃ》が子《こ》どもの頃《ころ》、正義《せいぎ》の人々《ひとびと》の「基地《きち》」の印象《いんしょう》を決定《けってい》づけた番組《ばんぐみ》といえば『サンダーバード』だった。世界中《せかいじゅう》の危機《きき》に駆《か》けつける国際救助隊《こくさいきゅうじょたい》・サンダーバード。その基地《きち》は、絶海《ぜっかい》の孤島《ことう》にあり、すべての設備《せつび》には徹底《てってい》したカムフラージュが施《ほどこ》されていた。

たとえば、サンダーバード2号《ごう》の格納庫《かくのうこ》の前《まえ》にはヤシの木《き》が生《は》えている。まさかそんなところから大型《おおがた》メカが出撃《しゅつげき》するはずがない……と思《おも》っていると、ヤシの木《き》は左右《さゆう》に倒《たお》れ、サンダーバード2号《ごう》の滑走路《かっそうろ》が出現《しゅつげん》するのだった。これが実《じつ》にカッコよくて、筆者《ひっしゃ》はあれ以来《いらい》、「基地《きち》を作《つく》るなら、秘密基地《ひみつきち》に限《かぎ》る！」と思《おも》い込《こ》んでおります。まだ基地《きち》を作《つく》る機会《きかい》はないんだけど。

そんな視点《してん》からするとビミョ〜なのは、1982年《ねん》に放送《ほうそう》されたスーパー戦隊《せんたい》シリーズの第《だい》6弾《だん》『大戦隊《だいせんたい》ゴーグルファイブ』に登場《とうじょう》した基地《きち》だ。主人公《しゅじんこう》・赤間健一《あかまけんいち》が所属《しょぞく》する未来科学研究所《みらいかがくけんきゅうじょ》の基地《きち》があるのは、なんと後楽園球場《こうらくえんきゅうじょう》の地下《ちか》！

後楽園球場《こうらくえんきゅうじょう》とは、87年《ねん》まで読売《よみうり》ジャイアンツなどの本拠地《ほんきょち》として使《つか》われた球場《きゅうじょう》だ。いまの東京《とうきょう》ドームの前身《ぜんしん》で、場所《ばしょ》もすぐ近《ちか》くだった。収容観客数《しゅうようかんきゃくすう》は約《やく》4万《まん》2千人《せんにん》。これほど大《おお》きな球場《きゅうじょう》の下《した》に、所員《しょいん》2千人《せんにん》を擁《よう》する未来科学研究所《みらいかがくけんきゅうじょ》が築《きず》かれていたという。

研究所《けんきゅうじょ》の建物《たてもの》は、実《じつ》に地下《ちか》40階建《かいだ》て！　しかも、内部《ないぶ》には身長《しんちょう》55mのゴーグルロボを輸送《ゆそう》するゴーグルシーザーが格納《かくのう》されており、出動時《しゅつどうじ》にはなんと後楽園球場全体《こうらくえんきゅうじょうぜんたい》をせり上《あ》げて、シーザーはその下《した》から発進《はっしん》する！

すごい基地《きち》である。「予想外《よそうがい》の場所《ばしょ》」という意味《いみ》では、これこそが秘密基地《ひみつきち》といえるかもしれない。だが、そんなところに基地《きち》を建設《けんせつ》して、大丈夫《だいじょうぶ》なのか!?　本稿《ほんこう》では、空想科学史《くうそうかがくし》に残《のこ》る秘《ひ》密基地《みつきち》・未来科学研究所《みらいかがくけんきゅうじょ》について考《かんが》えよう。

◆正義《せいぎ》のために、東京《とうきょう》は停電《ていでん》！

劇中《げきちゅう》で描《えが》かれたゴーグルシーザー発進《はっしん》の様子《ようす》はこうだ。

ジャイアンツの選手《せんしゅ》がヒットを打《う》ち、ランナーが帰《かえ》って歓声《かんせい》に沸《わ》く後楽園球場《こうらくえんきゅうじょう》。そのとき、地《ち》下《か》の未来科学研究所《みらいかがくけんきゅうじょ》に、ゴーグルV《ファイブ》からゴーグルロボ発進《はっしん》の要請《ようせい》が入《はい》る。これを受《う》け、どう見《み》ても小学生《しょうがくせい》のタツヤくんが「リフトアップ！」とかけ声《ごえ》をかけると、後楽園球場《こうらくえんきゅうじょう》がしゅるるるるる〜っと、外壁《がいへき》の6倍《ばい》ほどの高《たか》さまでせり上《あ》がる。そして10秒《びょう》ほどで上昇《じょうしょう》は止《と》まり、ゴーグルシーザーは傾斜《けいしゃ》した発射台《はっしゃだい》から発進《はっしん》していく。

小学生《しょうがくせい》の指令《しれい》で地球《ちきゅう》の平和《へいわ》を守《まも》っていて大丈夫《だいじょうぶ》か、とか、タツヤくんは学校《がっこう》に行《い》かなくていいのか、とか気《き》になることはたくさんあるが、いま注目《ちゅうもく》すべきはそれではない。球場《きゅうじょう》がせり上《あ》がるとき、試合《しあい》が中断《ちゅうだん》された様子《ようす》がないことだ。それどころか、選手《せんしゅ》たちは試合《しあい》に集中《しゅうちゅう》し、観客《かんきゃく》は熱《ねっ》狂的《きょうてき》に応援《おうえん》を続《つづ》けていた。どうやら、自分《じぶん》たちのいる球場《きゅうじょう》が持《も》ち上《あ》がり、その下《した》から巨大《きょだい》なマシンが発進《はっしん》したことには、選手《せんしゅ》も観客《かんきゃく》も気《き》づいていないようなのだ。科学的《かがくてき》に考《かんが》えて、これはモノスゴク不可解《ふかかい》な話《はなし》である。

球場《きゅうじょう》を持《も》ち上《あ》げるとは、大変《たいへん》な作業《さぎょう》だ。後楽園球場《こうらくえんきゅうじょう》の正確《せいかく》な大《おお》きさが不明《ふめい》なので、東京《とうきょう》ドームのデータから推測《すいそく》すると、外壁《がいへき》の高《たか》さは平均《へいきん》30ｍほどと思《おも》われる。発進《はっしん》の際《さい》には、球場《きゅうじょう》が丸《まる》ごと外壁《がいへき》の6倍《ばい》ぐらいせり上《あ》がったから、上昇《じょうしょう》する高《たか》さは180ｍということだ。なんと東京《とうきょう》タワーの半分以上《はんぶんいじょう》！

重《おも》さはどれほどか。後楽園球場《こうらくえんきゅうじょう》の敷地面積《しきちめんせき》が東京《とうきょう》ドームと同《おな》じで、壁《かべ》や床《ゆか》が厚《あつ》さ50㎝のコンクリートでできていたとして計算《けいさん》すると、土台《どだい》となる床《ゆか》が5万《まん》6千《せん》t、外壁《がいへき》が2万《まん》7千《せん》tという結果《けっか》になる。観客席《かんきゃくせき》やスコアボードや照明塔《しょうめいとう》などの付属施設《ふぞくしせつ》を合《あ》わせると、総重量《そうじゅうりょう》は10万《まん》tくらいだろう。

　これを持《も》ち上《あ》げるには、支柱《しちゅう》や土台《どだい》などの構造物《こうぞうぶつ》も必要《ひつよう》だから、それらの合計《ごうけい》も10万《まん》tと仮定《かてい》するなら、球場《きゅうじょう》の重量《じゅうりょう》と併《あわ》せて20万《まん》t。つまり未来科学研究所《みらいかがくけんきゅうじょ》は、ゴーグルシーザーが発進《はっしん》するたびに、20万《まん》tもの物体《ぶったい》を180mも持《も》ち上《あ》げていたことになる。

　しかも、彼《かれ》らは仕事《しごと》がモノスゴ～ク速《はや》い。球場《きゅうじょう》が上昇《じょうしょう》している時間《じかん》を計測《けいそく》すると、第《だい》1話《わ》では14秒《びょう》、第《だい》2話《わ》ではたった9秒《びょう》！　物体《ぶったい》を動《うご》かす場合《ばあい》、スピードが速《はや》いほうが大量《たいりょう》の電力《でんりょく》を必要《ひつよう》とするから、こんなに重《おも》いモノをこんなに速《はや》く持《も》ち上《あ》げたら、もう大変《たいへん》なことになる。

　14秒《びょう》の場合《ばあい》でも、消費電力《しょうひでんりょく》は2500万kW《まんキロワット》。わが国《くに》の発電力《はつでんりょく》の4分《ぶん》の1に相当《そうとう》する大電力《だいでんりょく》であり、いきなりそんなに使《つか》っちゃったら、関東全域《かんとうぜんいき》はたちまち停電《ていでん》する。後楽園球場《こうらくえんきゅうじょう》の照明《しょうめい》も消《き》えて、試合《しあい》どころではない……はずだが、番組《ばんぐみ》ではそういう事態《じたい》は描《えが》かれなかった。う～ん、未来科学研究所《みらいかがくけんきゅうじょ》は電力《でんりょく》を自給自足《じきゅうじそく》していたのかなあ。だとしても、これほどのエネルギーを出入《でい》り口《ぐち》の開閉《かいへい》だけに使《つか》うとは、あまりにもムダだと思《おも》う。

◆ロボの発進《はっしん》が、試合《しあい》に大影響《だいえいきょう》！

未来科学研究所《みらいかがくけんきゅうじょ》の科学力《かがくりょく》には舌《した》を巻《ま》くが、やはり気《き》になる。試合中《しあいちゅう》に球場《きゅうじょう》を持《も》ち上《あ》げられて、選手《せんしゅ》や観客《かんきゃく》がそれに気《き》づかないことがあるだろうか？

ここでは、9秒《びょう》で持《も》ち上《あ》げる場合《ばあい》を考《かんが》えよう。この間《かん》に180m上昇《じょうしょう》させるわけだが、もっとも力《ちから》が小《ち》さくて済《す》むのは、スピードをゆっくり上《あ》げながら4・5秒《びょう》かけて90m持《も》ち上《あ》げ、今度《こんど》はスピードを落《お》としながら4・5秒後《びょうご》に停止《ていし》させたときだ。

人間《にんげん》が乗《の》った物体《ぶったい》が、スピードを速《はや》くしたり遅《おそ》くしたりすると、乗《の》っている人《ひと》は力《ちから》を受《う》ける。電車《でんしゃ》やバスが急発進《きゅうはっしん》すると乗客《じょうきゃく》が後《うし》ろへ倒《たお》れそうになり、急停止《きゅうていし》すると前方《ぜんぽう》に倒《たお》れそうになるのはよく経験《けいけん》することだろう。ゴーグルシーザーの発進《はっしん》では、この現象《げんしょう》が上下《じょうげ》の方向《ほうこう》に起《お》こるはずなのだ。

4・5秒《びょう》で90m持《も》ち上《あ》げるには、地上《ちじょう》で物《もの》を落《お》としたときの90％の勢《いきお》いで上昇《じょうしょう》スピードを上《あ》げねばならない。すると、球場《きゅうじょう》にいる人々《ひとびと》にとっては、重力《じゅうりょく》がいきなり1・9倍《ばい》になったのと同《おな》じことになる。選手《せんしゅ》はその場《ば》にへたり込《こ》み、観客《かんきゃく》は持《も》っていたお弁当《べんとう》やビールを落《お》としたのではないだろうか。

心配《しんぱい》なのは、試合中《しあいちゅう》のボールの行方《ゆくえ》だ。フライはいきなり1・9倍《ばい》の速度《そくど》で落《お》ちてくる。これ

は怖《こわ》くて取《と》れない！　飛距離《ひきょり》も1・9分《ぶん》の1になるから、飛距《ひきょ》離《り》130mのホームラン！と思《おも》った打球《だきゅう》が、飛距離《ひきょり》68mのセンターフライに。ああ、実《じっ》に残念《ざんねん》無念《むねん》〜！

　ここまでは、球場《きゅうじょう》が上昇《じょうしょう》している4・5秒間《びょうかん》のできごとだ。続《つづ》く4・5秒間《びょうかん》は上昇《じょうしょう》スピードを落《お》とすことになるが、このときはさらに大変《たいへん》。重力《じゅうりょく》が90％減《へ》って、10％に。つまり普段《ふだん》の10分《ぶん》の1になってしまう！

　宇宙飛行士《うちゅうひこうし》の毛利衛《もうりまもる》さんは、飛行機《ひこうき》による無重力訓練《むじゅうりょくくんれん》を受《う》けたとき、重力《じゅうりょく》が10分《ぶん》の1になった時点《じてん》で無重力《むじゅうりょく》と感《かん》じたという。すると、減速中《げんそくちゅう》の後楽園球場《こうらくえんきゅうじょう》も感覚的《かんかくてき》には無重力《むじゅうりょく》。興奮《こうふん》して立《た》ち上《あ》がった観客《かんきゃく》はふわっと浮《う》き上《あ》がり、観客《かんきゃく》のポップコーンは宙《ちゅう》を舞《ま》う。グラウンドでは、ピッチャーフライと思《おも》われた打球《だきゅう》がふわふわと上昇《じょうしょう》していって場外《じょうがい》ホームランに……！

これはもう、観客《かんきゃく》の安全《あんぜん》や試合《しあい》の勝敗《しょうはい》、場合《ばあい》によっては優勝《ゆうしょう》の行方《ゆくえ》さえ左右《さゆう》しかねない大影響《だいえいきょう》が出《で》るということではないか。気《き》づこうよ、選手《せんしゅ》も観客《かんきゃく》も。

そして、これを設計《せっけい》した未来科学研究所《みらいかがくけんきゅうじょ》の本郷博士《ほんごうはかせ》は、基地《きち》を作《つく》る場所《ばしょ》を根本《こんぽん》から考《かんが》え直《なお》していただきたい。やはり秘密基地《ひみつきち》は、人《ひと》の少《すく》ないところに作《つく》るべきだと思《おも》います。

とっても気《き》になる映画《えいが》の疑問《ぎもん》

映画《えいが》『ホビット』第《だい》2部《ぶ》では、溶《と》かした金《きん》に竜《りゅう》を沈《しず》めていました。どれほどの金《きん》を使《つか》ったのでしょう？

好《す》きな小説《しょうせつ》やマンガが映像化《えいぞうか》されたとき、原作《げんさく》と変《か》わってしまった部分《ぶぶん》に違和感《いわかん》を覚《おぼ》えることがある。たとえば映画《えいが》『ホビット　竜《りゅう》に奪《うば》われた王国《おうこく》』は、英国《えいこく》の作家《さっか》J・R・R・トールキンによる『ホビットの冒険《ぼうけん》』の実写映像化《じっしゃえいぞうか》第《だい》2弾《だん》だが、原作《げんさく》のファンのあいだでは、そこに登場《とうじょう》する巨大《きょだい》な竜《りゅう》・スマウグが、原作《げんさく》のイメージと違《ちが》うとも言《い》われているらしい。

原作《げんさく》が4本脚《ほんあし》なのに対《たい》し、映画《えいが》に登場《とうじょう》したスマウグは2本脚《ほんあし》。どっちもドラゴンでしょ!?と思《おも》ったら、コトはそう単純《たんじゅん》ではなくて「4本足《ほんあし》で背中《せなか》に羽《はね》が生《は》えている」のがドラゴンで、「それの前脚《まえあし》がないバージョン」はワイバーンと呼《よ》ばれる。こちらは、少《すこ》し格落《かくお》ちの竜《りゅう》らしいのだ。ドラゴンの世界《せかい》もいろいろあるのだなあ。恐竜《きょうりゅう》から鳥《とり》への進化《しんか》を考《かんが》えれば、前脚《まえあし》が羽《はね》になったと思《おも》われるワイバーンのほうが科学的《かがくてき》ナットク度《ど》は高《たか》いような気《き》もするが……。

などと、いろんなコトを考《かんが》えさせられる作品《さくひん》だが、筆者《ひっしゃ》がもっとも驚《おどろ》いたのは、映画《えいが》では、そのスマウグを、溶《と》けた金《きん》の海《うみ》に沈《しず》めたことだ。これは、ハンパな量《りょう》の金《きん》ではない！

このゴーカイなシーンに至《いた》った経緯《けいい》は次《つぎ》のとおりだ。

体《からだ》の小《ちい》さな種族《しゅぞく》「ドワーフ」は、スマウグという火《ひ》を吐《は》く竜《りゅう》に、故国《ここく》エレボールを奪《うば》われてしまった。王子《おうじ》トーリンは国《くに》を取《と》り戻《もど》すために、仲間《なかま》とエレボールに向《む》かう。宮殿《きゅうでん》に入《はい》ったトーリン一行《いっこう》は、スマウグに追《お》い回《まわ》され、金《きん》の精錬所《せいれんじょ》に逃《に》げ込《こ》む。エレボールは金《きん》や宝石《ほうせき》の生産《せいさん》で栄《さか》えた国《くに》だったのだ。一計《いっけい》を案《あん》じたトーリンは、スマウグを怒《おこ》らせて火《ひ》を吐《は》かせ、その火《ひ》で高炉《こうろ》を動《うご》かす。高炉《こうろ》から流《なが》れ出《だ》した金《きん》を「王《おう》の広間《ひろま》」に導《みちび》く一方《いっぽう》で、スマウグを王《おう》の広間《ひろま》におびき出《だ》し、溶《と》けた金《きん》を浴《あ》びせて金《きん》の海《うみ》に沈《しず》める……。

これは、いったいどれほどの金《きん》だったのだろう？

◆どんな富豪《ふごう》でもムリだ！

スマウグを沈《しず》めた金《きん》は、王《おう》の広間《ひろま》になみなみと湛《たた》えられていた。その広間《ひろま》は、縦長《たてなが》の長方形《ちょうほうけい》で、横《よこ》がスマウグの体長《たいちょう》と同《おな》じぐらい。縦《たて》はその4倍《ばい》ほどだ。すると流《なが》し込《こ》んだ金《きん》の量《りょう》は、スマウグの大《おお》きさによって決《き》まることになる。

画面《がめん》からは、スマウグの具体的《ぐたいてき》な大《おお》きさがわからない。そこで、映画館《えいがかん》で売《う》っていたパンフレットをよくよく見《み》たのだが、正式《せいしき》な設定《せってい》どころかスマウグの写真《しゃしん》さえ載《の》っていない！　筆者《ひっしゃ》みたいな職業《しょくぎょう》のヒトには、それだと困《こま》るんですけど……（↑そんな職業《しょくぎょう》の人《ひと》は、ほぼいない）。

だが、パンフレットのなかで、美術《びじゅつ》スタッフが貴重《きちょう》な発言《はつげん》をしている。

「スマウグ自体《じたい》がジャンボ機《き》2機《き》分《ぶん》くらいはあるのではないかと思《おも》うような大《おお》きさなので」

なぁるほど。では、これを参考《さんこう》にしよう。2014年《ねん》の3月《がつ》に日本《にほん》の空《そら》から引退《いんたい》したジャンボ機《き》＝ボーイング747は、全長《ぜんちょう》70・7m。するとスマウグの全長《ぜんちょう》は140m。7両編成《りょうへんせい》の列車《れっしゃ》と同《おな》じだ。

ということは、王《おう》の広間《ひろま》は横《よこ》140m、縦《たて》560m。広《ひろ》い！　サッカーコート11面分《めんぶん》にもなる。

体長《たいちょう》140mの竜《りゅう》を水没《すいぼつ》、いや金没《きんぼつ》させるには、深《ふか》さ50mは必要《ひつよう》だろう。すると金《きん》の体積《たいせき》は390万《まん》m^3＝東京《とうきょう》ドームの3・2倍《ばい》！

これはもう、金《きん》としては驚天動地《きょうてんどうち》の量《りょう》である。金《きん》は密度《みつど》の高《たか》い物質《ぶっしつ》で、1Lあたりの重《おも》さが19・3kgもある。すると重量《じゅうりょう》は7600万《まん》t！

そして金《きん》だけに、価値《かち》も気《き》になる。金《きん》の価値《かち》は毎日変動《まいにちへんどう》するので、本日《ほんじつ》の相場《そうば》で計算《けいさん》すると、なんと38京《けい》7千兆円《せんちょうえん》！　映画《えいが》が公開《こうかい》された2012年《ねん》の世界《せかい》GDPの5倍弱《ばいじゃく》！　エレボールは、激烈《げきれつ》に裕福《ゆうふく》な国《くに》だったのだなあ。

いや、冷静《れいせい》に考《かんが》えれば、どれほど裕福《ゆうふく》な国《くに》でも、これだけの金《きん》を蓄《たくわ》えるのはできない相談《そうだん》だ。人類《じんるい》がこれまでに採掘《さいくつ》してきた金《きん》の総量《そうりょう》は、9万《まん》t。いまでも地中《ちちゅう》に埋蔵《まいぞう》されている量《りょう》は推定《すいてい》6万《まん》t。合計《ごうけい》15万《まん》tでしかない。7600万《まん》tなんて、いったいどこから集《あつ》めてきたんだッ!?

◆体重《たいじゅう》22万《まん》tの大怪獣《だいかいじゅう》！

残念《ざんねん》なことに、この大量《たいりょう》の金《きん》に沈《しず》めても、スマウグは倒《たお》せなかった。しばらくの静寂《せいじゃく》の後《あと》、スマウグは全身《ぜんしん》に溶《と》けた金《きん》をまとい、金《きん》の海《うみ》から飛《と》び立《た》ったのだ。それは、おお懐《なつ》かしや、ゴジラと戦《たたか》ったキングギドラそのもの！　この怪獣《かいじゅう》も翼《つばさ》のついた竜《りゅう》の姿《すがた》で、3つの首《くび》と2本《ほん》の尾《お》を持《も》ち、全身《ぜんしん》を金色《きんいろ》に輝《かがや》かせていた。

昭和《しょうわ》の怪獣《かいじゅう》ファン魂《だましい》を炸裂《さくれつ》させている場合《ばあい》ではない。金《きん》を溶《と》かすには、1064℃になるまで熱《ねっ》しなければならない。そしてスマウグはこの高温《こうおん》に耐《た》えたということだ。口《くち》から炎《ほのお》を吐《は》くぐらいだから、このヒトは全身《ぜんしん》が熱《ねつ》に強《つよ》いということだろうか。

だが他《ほか》にも1人《ひとり》、高熱《こうねつ》に耐《た》えた勇者《ゆうしゃ》がいる。トーリンは鉄《てつ》の小《ちい》さな船《ふね》に腹《はら》ばいになって、精《せい》錬所《れんじょ》から王《おう》の広間《ひろま》まで、金《きん》に浮《う》かんで運《はこ》ばれていった。

　さりげないシーンだが、実《じつ》はすごいことをやっている。彼《かれ》の顔《かお》のすぐ下《した》には、1064℃の金《きん》の川《かわ》があったわけだ。このとき顔《かお》に受《う》けた熱《ねつ》は、真夏《まなつ》の太陽《たいよう》の210倍《ばい》！　髪《かみ》や皮膚《ひふ》が炎上《えんじょう》しても不思議《ふしぎ》はなかった。敵《てき》も味方《みかた》も、恐《おそ》るべき耐熱力《たいねつりょく》だなあ。

　そして、科学的《かがくてき》に気《き》になるもう一点《いってん》は、スマウグの体《からだ》の重《おも》さである。前述《ぜんじゅつ》したように、この巨竜《きょりゅう》は、しばらくは金《きん》の海《うみ》に沈《しず》んでいた。これは、この竜《りゅう》の体《からだ》の平均密度《へいきんみつど》が金《きん》より重《おも》かったということだ！

体重《たいじゅう》はどれほどなのか？　ここではワニを参考《さんこう》に計算《けいさん》しよう。スマウグはワニよりスリムだが、「代《か》わりに翼《つばさ》があるので相殺《そうさい》される」と強引《ごういん》に考《かんが》えることにする。２０１１年《ねん》、フィリピンで体《たい》長《ちょう》６・４m、体重《たいじゅう》１０７５kgのイリエワニが捕獲《ほかく》された。このワニが体長《たいちょう》１４０mに巨大化《きょだいか》すると、体重《たいじゅう》は1万《まん》1千《せん》tになる。だが、ワニの体《からだ》の平均密度《へいきんみつど》は水《みず》と同《おな》じ１Lあたり１kgほどだから、金《きん》より重《おも》いスマウグは少《すく》なくともその19・3倍《ばい》の体重《たいじゅう》22万《まん》t……！

これはすごい。昭和《しょうわ》のキングギドラでさえ体重《たいじゅう》3万《まん》tだったのに、その7倍強《ばいきょう》。ドラゴンだろうがワイバーンであろうが、スマウグがもうメチャクチャ強《つよ》くて、王国《おうこく》を奪《うば》うくらいは朝《あさ》メシ前《まえ》だろうことは疑《うたが》いようのない事実《じじつ》だ。

とっても気《き》になるアニメの疑問《ぎもん》

『フランダースの犬《いぬ》』の最終回《さいしゅうかい》は悲《かな》しすぎます。悲劇《ひげき》は避《さ》けられなかったのでしょうか？

最終回《さいしゅうかい》が悲《かな》しいアニメやマンガはたくさんあるけど、そのNo.《ナンバー》1と言《い》えるのが『フランダースの犬《いぬ》』だろう。テレビの「感動《かんどう》の最終回特集《さいしゅうかいとくしゅう》」みたいな番組《ばんぐみ》で繰《く》り返《かえ》し紹介《しょうかい》されてきたけど、いやもう、あまりにも悲《かな》しい物語《ものがたり》である。

貧《まず》しい祖父《そふ》と2人《ふたり》で暮《く》らすネロは、同郷《どうきょう》のルーベンスに憧《あこが》れ、画家《がか》への道《みち》を夢《ゆめ》みていた。しかし、仲《なか》よしのアロアと遊《あそ》ぶことを禁《きん》じられ、おじいさんは亡《な》くなり、放火《ほうか》の疑《うたが》いをかけられて仕《し》事《ごと》も失《うしな》い、住《す》んでいた小屋《こや》を追《お》い出《だ》され、すべての望《のぞ》みを託《たく》した絵《え》のコンクールにも落選《らくせん》。ついには、ルーベンスの絵《え》の前《まえ》で、愛犬《あいけん》のパトラッシュと共《とも》に力尽《ちからつ》きる。

ネロの最期《さいご》の言葉《ことば》は「パトラッシュ、疲《つか》れたろう。僕《ぼく》も疲《つか》れたんだ……。なんだか、とても眠《ねむ》いんだ……」、パトラッシュ……」というものだった。

む、むごい。このアニメは「世界名作劇場《せかいめいさくげきじょう》」と謳《うた》われるシリーズだけど、かわいそうさに押《お》し潰《つぶ》されて、名作《めいさく》かどうかなんて、考《かんが》える余裕《よゆう》はありまっしぇん！

なぜこんな悲劇《ひげき》になってしまったのか？　なぜネロとパトラッシュは死《し》なななければならなかったのか？　ここでは、この純真《じゅんしん》な少年《しょうねん》と健気《けなげ》な犬《いぬ》が死《し》なずに済《す》む道《みち》はなかったのかを考《かんが》えたい。

◆一発逆転《いっぱつぎゃくてん》をコンクールに賭《か》ける！

ネロもはじめから不幸《ふこう》だったわけではない。２歳《さい》のときにお母《かあ》さんを亡《な》くし、引《ひ》き取《と》ったおじいさんは貧乏《びんぼう》だったが、ネロの周囲《しゅうい》には温《あたた》かい時間《じかん》が流《なが》れていた。

おじいさんは、村人《むらびと》が搾《しぼ》った牛乳《ぎゅうにゅう》を荷車《にぐるま》で運《はこ》ぶ仕事《しごと》をしていた。老《お》いた体《からだ》には重労働《じゅうろうどう》だったが、ネロも手伝《てつだ》い、毎朝《まいあさ》アロアに見送《みおく》られてアントワープまで出《で》かけるのが日課《にっか》だった。きこりのミシェルおじさんや隣《となり》のヌレットおばさん、友達《ともだち》のポールにジョルジュ、アロアの母《はは》のエリーナさんなど、優《やさ》しい人々《ひとびと》も多《おお》かった。にもかかわらず、ネロはなぜ不幸《ふこう》になったのか？

実《じつ》は、ネロにつらく当《あ》たったのは、たったの２人《ふたり》なのだ。アロアの父《ちち》のコゼツ旦那《だんな》と、コゼツ家《け》の出入《でい》り商人《しょうにん》ハンス。コゼツ旦那《だんな》は、娘《むすめ》のアロアが貧乏《びんぼう》なネロと仲《なか》よくするのを嫌《きら》っていた。そしてハンスは、ネロがアロアと遊《あそ》んでいると、コゼツ旦那《だんな》に言《い》いつけるのだ。あ〜、やだやだ。何《なに》よりネロには、お金《かね》の問題《もんだい》が大《おお》きくのしかかっていた。絵画《かいが》コンクールに応募《おうぼ》するにも結構《けっこう》な費用《ひよう》が必要《ひつよう》で、これを捻出《ねんしゅつ》しようと無理《むり》をしたおじいさんが倒《たお》れてしまう。ネロは1人《ひとり》で牛乳運《ぎゅうにゅうはこ》びを頑張《がんば》るが、同業者《どうぎょうしゃ》が現《あらわ》れたために、収入《しゅうにゅう》は激減《げきげん》。波止場《はとば》で荷運《にはこ》びをして稼《かせ》いだお金《かね》で、おじいさんのためにスープを作《つく》るが、おじいさんは一《ひと》さじ飲《の》むと息《いき》を引《ひ》き取《と》ってしまった。最期《さいご》の言葉《ことば》は「いい絵《え》を描《か》くんだぞ」。うお〜ん。かわいそうだ、うおお〜ん！泣《な》いている場合《ばあい》ではない。本当《ほんとう》に大変《たいへん》なのは、ここからなのだ。ある晩《ばん》、風車小屋《ふうしゃごや》が火事《かじ》になる。原因《げんいん》は不明《ふめい》だったのに、ハンスは夜中《よなか》にネロを見《み》かけたというだけの理由《りゆう》で「おまえだろ、風車小屋《ふうしゃごや》に火《ひ》をつけたのは。さあ、白状《はくじょう》しろ！」と、村人《むらびと》たちの前《まえ》でネロを犯人扱《はんにんあつか》いした。

ここから村人《むらびと》に疑念《ぎねん》が広《ひろ》がり、ネロに牛乳運《ぎゅうにゅうはこ》びを頼《たの》む農家《のうか》はなくなってしまう。収入《しゅうにゅう》を絶《た》たれたネロに、ハンスは迫《せま》る。「家賃《やちん》が払《はら》えないなら、出《で》て行《い》け」。そんな状況《じょうきょう》にしたのは誰《だれ》だよ!?

この理不尽《りふじん》な要求《ようきゅう》に対《たい》して、ネロは「クリスマスまで待《ま》ってください。そしたら出《で》ていきます」と応《おう》じてしまう。応募《おうぼ》していた絵画《かいが》コンクールの発表《はっぴょう》が、クリスマス・イブに行《おこな》われるのだ。こうして、コンクールで一等《いっとう》を取《と》ることに、ネロはすべてを賭《か》けることになった……。

◆盆《ぼん》と正月《しょうがつ》がいっぺんに！

確《たし》かにそのコンクールは、すべてを託《たく》すだけの価値《かち》があった。一等《いっとう》の賞金《しょうきん》は200フラン。劇《げき》中《ちゅう》の物価《ぶっか》から考《かんが》えて現在《げんざい》の500万円《まんえん》くらいのようだ。しかもその金額《きんがく》が、毎年《まいとし》もらえる！

このコンクールに、ネロは、パトラッシュとおじいさんの絵《え》を提出《ていしゅつ》した。それは、絵《え》のセンスがカケラもない筆者《ひっしゃ》が見《み》ても、ため息《いき》の出《で》るような……って、援護射撃《えんごしゃげき》になってないか。

クリスマス・イブの日《ひ》、ネロは公会堂《こうかいどう》の広間《ひろま》で発表《はっぴょう》を待《ま》つ。だが一等《いっとう》を取《と》ったのは、キースリンガーという少年《しょうねん》だった。ネロは絶望《ぜつぼう》！　家賃《やちん》は払《はら》えない。もう出《で》ていくしかない。

とぼとぼと家路《いえじ》をたどるネロ。だが、このとき事態《じたい》を急展開《きゅうてんかい》させる出来事《できごと》が起《お》こる。パトラッシュが、雪《ゆき》に埋《う》もれた袋《ふくろ》を見《み》つけたのだ。入《はい》っていたのは、コゼツ旦那《だんな》が落《お》とした2千《せん》フラン！

ネロは急《いそ》いで袋《ふくろ》をアロアの家《いえ》に届《とど》ける。あれほどお金《かね》に困《こま》っていたのに、悪《わる》い心《こころ》を起《お》こすこともなく。コゼツ旦那《だんな》は不在《ふざい》だったが、アロアとお母《かあ》さんは大感激《だいかんげき》。食事《しょくじ》を勧《すす》めるが、ネロは断《ことわ》り、激《はげ》しい吹雪《ふぶき》のなかへあてもなく出《で》ていく。ああ、悲劇《ひげき》のエンディングが近《ちか》づいてくるよ〜。

だが実《じつ》は、このときネロの周《まわ》りには幸《しあわ》せが次々《つぎつぎ》に訪《おとず》れ始《はじ》めていた。それを列挙《れっきょ》すると……。

①コゼツ旦那《だんな》は、ネロがお金《かね》を拾《ひろ》って届《とど》けたことを知《し》って、これまでの仕打《しう》ちを深《ふか》く反省《はんせい》する。アロアとつき合《あ》うことも認《みと》め、「わしはあの子《こ》に償《つぐな》いをしなければならん」と泣《な》く。

②コゼツ家《け》に風車職人《ふうしゃしょくにん》がやってきて、風車小屋《かざぐるまごや》に放火《ほうか》したのはネロではないことを伝《つた》える。
③ヌレットおばさんらが、ネロとクリスマスを過《す》ごそうとやってくる。
④コンクールの審査員《しんさいん》を務《つと》めた画家《がか》のヘンドリックレイも訪《おとず》れて、ネロの絵《え》の才能《さいのう》を「ルーベンスの跡継《あとつ》ぎになり得《え》る」と絶賛《ぜっさん》、ネロを引《ひ》き取《と》って才能《さいのう》を伸《の》ばしたいと決意《けつい》を語《かた》る。
⑤コゼツ旦那《だんな》も「ネロが戻《もど》ってきたらわしのうちに迎《むか》えて、アロアと同《おな》じようにどんな勉強《べんきょう》でもさせてやるつもりだ。それがせめてもの、わしの償《つぐな》いなんだ」と決意《けつい》を語《かた》る。

ああ、よかったな、ネロ。放火《ほうか》の疑《うたが》いは晴《は》れ、ガールフレンドとのつき合《あ》いも認《みと》められ、生活《せいかつ》と絵《え》の面倒《めんどう》までみようという人《ひと》が２人《ふたり》も。いやっほー！

だが、吹雪《ふぶき》のなかを歩《ある》くネロは、それを知《し》らない。アントワープの教会《きょうかい》に入《はい》ると、ルーベンスの２枚《まい》の絵《え》を目《め》に焼《や》きつける。そして「これだけで僕《ぼく》は、もう何《なに》もいりません」と言《い》うや、床《ゆか》に倒《たお》れ込《こ》んでしまう。そこへパトラッシュもやってきて、２人《ふたり》は永遠《えいえん》の眠《ねむ》りにつくのである。やがて、空《そら》から天使《てんし》たちが舞《ま》い降《お》りて、２人《ふたり》の魂《たましい》を天国《てんごく》に連《つ》れていくのだった。ああ……。

「ネロとパトラッシュは、おじいさんとお母《かあ》さんのいる遠《とお》いお国《くに》へ行《い》きました。もうこれからは、寒《さむ》いことも、悲《かな》しいことも、おなかのすくこともなく、みんないっしょにいつまでも楽《たの》しく暮《く》らすことでしょう」というナレーションが入《はい》るが、NO《ノー》～っ、全然《ぜんぜん》ナットクできません！

◆悲劇《ひげき》は避《さ》けられなかったか？

あまりに悲《かな》しい話《はなし》である。ネロとパトラッシュの死《し》を回避《かいひ》する道《みち》はなかったのだろうか。アロアの家《いえ》で素直《すなお》に食事《しょくじ》をしていれば、コゼツ旦那《だんな》も帰《かえ》ってきて、ネロは死《し》なずに済《す》んだだろう。ヌレットおばさんも、ネロの後《うし》ろ姿《すがた》を馬車《ばしゃ》から見《み》かけたのに「ネロがこんなところにいるはずがないわ」と、そのまま来《き》てしまった。その思《おも》い込《こ》みが残念《ざんねん》だ。村《むら》からアントワープまでは一本道《いっぽんみち》だから、ヘンドリックレイもネロとすれ違《ちが》ったはずなのに、気《き》づかなかったとは痛恨《つうこん》の限《かぎ》り。

しかし、いまさらそれを言《い》っても仕方《しかた》がない。筆者《ひっしゃ》が「コイツがもう少《すこ》ししっかりしていたら」と思《おも》うのは、ただ一点《いってん》。それは、絵画《かいが》コンクールの賞金《しょうきん》システムだっ！

一等《いっとう》は毎年《まいとし》２００フランで、２等以下《とういか》は何《なに》もナシ――。あまりに極端《きょくたん》ではないだろうか。大手出版社《おおてしゅっぱんしゃ》でマンガ雑誌《ざっし》の編集《へんしゅう》をしていた友人《ゆうじん》に聞《き》くと、マンガ新人賞《しんじんしょう》の賞金《しょうきん》は１００万円《まんえん》が相場《そうば》だという。そして、彼《かれ》が担当《たんとう》した新人賞《しんじんしょう》では、２位《い》の２人《ふたり》に75万円《まんえん》、３位《い》の２人《ふたり》に50万円《まんえん》、佳作《かさく》の６人《にん》に10万円《まんえん》、奨励賞《しょうれいしょう》の10人《にん》に５万円《まんえん》を授与《じゅよ》していた。この場合《ばあい》、賞金総額《しょうきんそうがく》は４６０万円《まんえん》で、１位《い》の１００万円《まんえん》はその22％を占《し》めるにすぎない。若《わか》い才能《さいのう》を見出《みいだ》し、育《はぐく》もうと思《おも》ったら、やはりこのくらいの厚《あつ》くて深《ふか》い目配《めくば》りをするべきだと思《おも》う。

ネロが応募《おうぼ》したコンクールでも、２００フラン＝５００万円《まんえん》を賞金総額《しょうきんそうがく》として、先《さき》のマンガ新《しん》

人賞《じんしょう》と同《おな》じ比率《ひりつ》で分配《ぶんぱい》していたら、一等《いっとう》の賞金《しょうきん》は１１０万円《まんえん》、二等《にとう》のネロでも毎年《まいとし》80万円強《まんえんきょう》を受《う》け取《と》れることになる。これは決《けっ》して、少《すく》ない額《がく》ではない。劇中《げきちゅう》、おじいさんの月収《げっしゅう》は２フランと言《い》われていた。右《みぎ》のレートで計算《けいさん》すると、年収《ねんしゅう》は60万円《まんえん》。それを少《すこ》し上回《うわまわ》る絶妙《ぜつみょう》な金額《きんがく》だ。

ああ、絵画《かいが》コンクールがこういう賞金《しょうきん》システムだったら、ネロにはミルク色《いろ》の夜明《よあ》けのような人生《じんせい》が展《ひら》けていたのになあ！

とっても気《き》になるマンガの疑問《ぎもん》

きのこいぬの耳《みみ》は、ピンク色《いろ》のキノコになっています。どんな生物《せいぶつ》ですか？

「きのこいぬ」というキャラクターが大人気《だいにんき》と聞《き》いたとき、筆者《ひっしゃ》がすぐに思《おも》い浮《う》かべたのは、はい、皆《みな》さんの予想《よそう》どおり「ウナギイヌ」ですね。『天才《てんさい》バカボン』で、バンバン拳銃《けんじゅう》を撃《う》つおまわりさんをからかったりしていた、ちょっと生意気《なまいき》だが味《あじ》のある謎《なぞ》の生物《せいぶつ》だった。

そんな記憶《きおく》を抱《いだ》いて『きのこいぬ』を読《よ》んだものだから、ちょっとびっくりした。

絵本作家《えほんさっか》の夕闇《ゆうやみ》ほたるは、愛犬《あいけん》を喪《うしな》って気力《きりょく》を失《な》くしていた。ある日《ひ》、庭《にわ》にピンク色《いろ》のキノコが生《は》えているのに気《き》づく。何気《なにげ》なく見《み》ていると、キノコはぶるっと震《ふる》え、ゆっさゆっさと揺《ゆ》れて、地面《じめん》からぼこっと犬《いぬ》が出現《しゅつげん》する！　キノコは、その犬《いぬ》の左耳《ひだりみみ》だったのだ。

ほたるはその犬《いぬ》を「きのこいぬ」と呼《よ》び、いっしょに暮《く》らし始《はじ》める。きのこいぬは、ほたるに「好《す》きです」という気持《きも》ちを伝《つた》えようとして、ほたるが描《か》き上《あ》げていたイラストの上《うえ》に文字《もじ》を書《か》いてしまうなど、いろいろ困《こま》るけど、かわいい事件《じけん》を起《お》こす。そんな時間《じかん》を積《つ》み重《かさ》ねるうちに、ほたるは少《すこ》しずつ立《た》ち直《なお》っていく……。

ハートフルな素晴《すば》らしい作品《さくひん》である。こんな作品《さくひん》を科学的《かがくてき》に考《かんが》えていいの!?と心配《しんぱい》になるほどだが、やっぱり考《かんが》えずにはいられない。きのこいぬとは、どんな生物《せいぶつ》なのだろう?

◆菌類《きんるい》なのか動物《どうぶつ》なのか

キノコは菌類《きんるい》、犬《いぬ》は動物《どうぶつ》。両者《りょうしゃ》の特質《とくしつ》を兼備《けんび》したきのこいぬとは、いかなる生物《せいぶつ》なのか。劇中《げきちゅう》のきのこ研究家《けんきゅうか》は「きのこ」と断定《だんてい》しているが、キノコにしては不思議《ふしぎ》な点《てん》も多《おお》い。

一見《いっけん》、キノコと犬《いぬ》が融合《ゆうごう》したかのようだ。しかし、菌類《きんるい》と動物《どうぶつ》は、前者《ぜんしゃ》には細胞《さいぼう》を仕切《しき》る「細《さい》胞壁《ぼうへき》」があり、後者《こうしゃ》にはないなど、細胞《さいぼう》の構造《こうぞう》からして根本的《こんぽんてき》に違《ちが》うから、融合《ゆうごう》することは困難《こんなん》だろう。その意味《いみ》では、ウナギイヌのほうが、まだ実現《じつげん》の可能性《かのうせい》が高《たか》いわけである。

ウナギイヌはまたいつか研究《けんきゅう》するとして、きのこいぬの正体《しょうたい》を考《かんが》えたい。それは、次《つぎ》の3つに絞《しぼ》られる。

①キノコに似《に》た犬《いぬ》　②犬《いぬ》に似《に》たキノコ　③キノコが犬《いぬ》に寄生《きせい》している

劇中《げきちゅう》のきのこいぬの行動《こうどう》から、これら①～③の可能性《かのうせい》を探《さぐ》ってみよう。

行動《こうどう》その1、歩《ある》く。これを見《み》ると②だけはなさそうに思《おも》えるが、菌類《きんるい》の仲間《なかま》の粘菌《ねんきん》は、胞子《ほうし》からアメーバ状《じょう》の「変形体《へんけいたい》」が生《う》まれ、合体《がったい》してナメクジのような塊《かたまり》となり、動《うご》き回《まわ》る。歩《ある》くというだけでは、②の可能性《かのうせい》も否定《ひてい》できない。

行動《こうどう》その2、メロンパンやたこ焼《や》きが好物《こうぶつ》で、「もっもっ」と食《た》べる。ものを食《た》べるための器《き》官《かん》、すなわち口《くち》や消化器《しょうかき》は動物《どうぶつ》にしかないから、①③が濃厚《のうこう》だ。

行動《こうどう》その3、たこ焼《や》きを自分《じぶん》で作《つく》る。確実《かくじつ》に脳《のう》があるわけで、ますます①③が有力《ゆうりょく》となる。

行動《こうどう》その4、口《くち》から胞子《ほうし》を吐《は》く。胞子《ほうし》を散布《さんぷ》するのは菌類《きんるい》の一大特徴《いちだいとくちょう》。おや、②③か？

◆むひょ～、菌糸《きんし》がビッシリ！

右《みぎ》の4点《てん》から考《かんが》える限《かぎ》り、すべてに当《あ》てはまる③の可能性《かのうせい》が高《たか》そうだが、キノコの胞子《ほうし》は、傘《かさ》の裏側《うらがわ》から放出《ほうしゅつ》される。ところが、きのこいぬは口《くち》から胞子《ほうし》を吐《は》いている。う～む、どうなっているのやら……。

そもそも、キノコとはどういう生物《せいぶつ》なのだろう？

キノコというと「傘《かさ》の形《かたち》をしていて、下部《かぶ》に根《ね》がある」というイメージを抱《いだ》きがちだが、事実《じじつ》はそうではない。たとえばシイタケの栽培《さいばい》では、広葉樹《こうようじゅ》の丸太《まるた》に胞子《ほうし》を植《う》えつけると、胞子から菌糸《きんし》が芽《め》を出《だ》して、菌糸《きんし》は丸太《まるた》を養分《ようぶん》にして枝分《えだわ》かれしながら伸《の》びていき、2年《ねん》ぐらいで丸太《まるた》の内部《ないぶ》が菌糸《きんし》でいっぱいになる。この菌糸《きんし》の集《あつ》まりがキノコの本体《ほんたい》だ。

そして季節《きせつ》が訪《おとず》れると、菌糸《きんし》の一部《いちぶ》から傘《かさ》が出《で》る。これこそが、われわれが普段《ふだん》「キノコ」と呼《よ》んで、焼《や》いたり炒《いた》めたりして食《しょく》する傘《かさ》の部分《ぶぶん》だ。それは本来《ほんらい》、胞子《ほうし》を作《つく》り、まき散《ち》らすための器官《きかん》。キノコにとっては体《からだ》の一部《いちぶ》にすぎないのである。

このことを学習《がくしゅう》したうえで、前掲《ぜんけい》の①②③を再検証《さいけんしょう》すると、どうなるのか？

①キノコに似《に》た犬《いぬ》だとしたら、それはもうキノコではないのだから、単《たん》に耳《みみ》がキノコの傘《かさ》のカタチをした犬《いぬ》、ということになる。それはそれでカワイイが、すると胞子《ほうし》を吐《は》く理由《りゆう》がわからなくなる。

②犬《いぬ》に似《に》たキノコだとすると、全身《ぜんしん》が菌糸《きんし》でできていることになる。当然《とうぜん》、キノコの菌糸《きんし》に運《うん》動能力《どうのうりょく》はないから、なぜ歩《ある》いたり字《じ》を書《か》いたりできるのかが大《おお》きなナゾだ。

③やっぱり可能性《かのうせい》が高《たか》いのは、この「キノコが犬《いぬ》に寄生《きせい》している」という説《せつ》だろう。この場合《ばあい》、きのこいぬの体《からだ》の内部《ないぶ》には、菌糸《きんし》がびっしり広《ひろ》がっていることになる。菌糸《きんし》は、犬《いぬ》の体《からだ》から

容赦《ようしゃ》なく養分《ようぶん》を奪《うば》うので、必死《ひっし》で養分《ようぶん》を摂取《せっしゅ》しなければ、たちまち痩《や》せ衰《おとろ》えていく。きのこいぬは大量《たいりょう》のたこ焼《や》きを食《た》べるから、それでなんとかなっている……ということ？

う〜む。ハートフルというより、なんだか悲劇《ひげき》の最終回《さいしゅうかい》が待《ま》ち受《う》ける重《おも》い話《はなし》のような気《き》がしてきたぞ。しかしこう考《かんが》えれば、口《くち》から胞子《ほうし》を吐《は》くという現象《げんしょう》も説明《せつめい》できることになる。

あんまり想像《そうぞう》したくないけど、きのこいぬの口《くち》の中《なか》にはキノコの小《ち》さな傘《かさ》がいっぱい生《は》えていて、盛《さか》んに胞子《ほうし》を放出《ほうしゅつ》しているのではないかなあ。そして、全身《ぜんしん》に菌糸《きんし》が広《ひろ》がっているとしたら、耳《みみ》だけではなく全身《ぜんしん》のあちこちからキノコの傘《かさ》が生《は》える可能性《かのうせい》も……。

◆ほたるもいずれは……!?

いやいや、よく考《かんが》えたら、それだけでは済《す》まないぞ。

通常《つうじょう》、キノコは動物《どうぶつ》には寄生《きせい》しないが、犬《いぬ》に寄生《きせい》するキノコがあるとしたら、そのキノコは、他《ほか》の動物《どうぶつ》の体《からだ》でも菌糸《きんし》を伸《の》ばす可能性《かのうせい》がある。きのこいぬは、口《くち》から胞子《ほうし》を飛《と》ばしているから、それが周囲《しゅうい》の生物《せいぶつ》の体《からだ》で発芽《はつが》しても不思議《ふしぎ》ではない。

そのうち「きのこねこ」がコタツで丸《まる》くなり、牧場《まきば》では「きのこうし」が草《くさ》を食《は》み、電線《でんせん》に「きのこすずめ」が並《なら》んで、のどかな田園地帯《でんえんちたい》で「きのこがえる」が鳴《な》き声《ごえ》を競《きそ》う。森《もり》では「きのこ

りす」がドングリをかじり、海《うみ》では「きのこくじら」が潮《しお》を吹《ふ》き、南極《なんきょく》では「きのこぺんぎん」が卵《たまご》を温《あたた》める。もちろん、ほたるも「きのこにんげん」と化《か》して……。うひょ〜ッ！

すいません、やっぱりこのハートフルな作品《さくひん》に、科学《かがく》であーだこーだ言《い》うべきではありませんでした。『きのこいぬ』ファンの皆様《みなさま》にブチ殺《ころ》されそうな予《よ》感《かん》がするので、研究《けんきゅう》はここで終《お》わります〜。

『ジョジョリオン』では、主人公《しゅじんこう》が敵《てき》から摩擦力《まさつりょく》を奪《うば》いました。本当《ほんとう》にやったらどうなりますか？

マンガやアニメの世界《せかい》では、現実《げんじつ》からかけ離《はな》れた不思議《ふしぎ》な能力《のうりょく》が発揮《はっき》されることがある。なかでも筆者《ひっしゃ》がすごいと思《おも》ったのが『ジョジョリオン』で描《えが》かれた「摩擦《まさつ》を奪《うば》う」だ。筆者《ひっしゃ》もいろいろなマンガを読《よ》み、たくさんのアニメを見《み》てきたが、これは前代未聞《ぜんだいみもん》！

『ジョジョリオン』は『ジョジョの奇妙《きみょう》な冒険《ぼうけん》』のパート８。主人公《しゅじんこう》は、記憶《きおく》をなくした推定《すいてい》19歳《さい》の青年《せいねん》で、名前《なまえ》も不明《ふめい》。東方家《ひがしかたけ》に引《ひ》き取《と》られて、東方定助《ひがしかたじょうすけ》と呼《よ》ばれている。

彼《かれ》には、不思議《ふしぎ》な力《ちから》がある。左肩《ひだりかた》からシャボン玉《だま》を出《だ》して、それがぶつかって弾《はじ》けた人《ひと》や物体《ぶったい》から、さまざまなものを奪《うば》うことができるのだ。視力《しりょく》、体《からだ》の水分《すいぶん》、照明《しょうめい》のスイッチの音《おと》……。

そして、マンションの上《うえ》の部屋《へや》から敵《てき》に攻撃《こうげき》されたため、シャボン玉《だま》を天井《てんじょう》にぶつけ、階上《かいじょう》の床《ゆか》から摩擦《まさつ》を奪《うば》った！

『ジョジョ』らしいシュールな能力《のうりょく》だが、摩擦《まさつ》がなくなったら、いったいどうなるのだろうか。

◆なぜ摩擦《まさつ》がないと転《ころ》ぶのか？

摩擦《まさつ》を正《ただ》しく説明《せつめい》すると「2つの物体《ぶったい》が接触《せっしょく》しているとき、接触面《せっしょくめん》に沿《そ》って働《はたら》く力《ちから》」となる。車《くるま》がブレーキをかけると止《と》まるのは、タイヤと路面《ろめん》のあいだの摩擦力《まさつりょく》のおかげである。車《くるま》が走《はし》るのも、タイヤが摩擦力《まさつりょく》で路面《ろめん》を後方《こうほう》に押《お》し、その反作用《はんさよう》で路面《ろめん》がタイヤを前方《ぜんぽう》に押《お》すからだ。

地球上《ちきゅうじょう》のあらゆるものは、何《なに》か別《べつ》のものと接触《せっしょく》すると、摩擦《まさつ》が生《しょう》じる。もし摩擦《まさつ》が発生《はっせい》しなかったら、われわれの日常《にちじょう》はまったく違《ちが》ったものになる。

定助《じょうすけ》が階上《かいじょう》の部屋《へや》から摩擦《まさつ》を奪《うば》ったとき、そこで何《なに》が起《お》きているか、マンガでは具体的《ぐたいてき》に描《えが》かれていなかった。ただし、階下《かいか》の定助《じょうすけ》には、天井越《てんじょうご》しに「ズデェエ〜ン」というハデな音《おと》や、「ズル」「ツルリッ」「うぐっ」という音《おと》や声《こえ》が聞《き》こえてきた。どうやら、敵《てき》は転《ころ》んでしまい、起《お》き上《あ》がろうと苦労《くろう》しているらしい。

人間《にんげん》が転《ころ》ばずに歩《ある》けるのは、足《あし》や靴《くつ》と床《ゆか》が接《せっ》するときに、摩擦《まさつ》が生《しょう》じるからだ。アイススケートは、スケートの刃《は》とリンクのあいだの摩擦《まさつ》が小《ちい》さいから、あのようにスイスイ滑《すべ》れるが、それでも摩擦《まさつ》がゼロというわけではない。

これが突然《とつぜん》、完全《かんぜん》に消失《しょうしつ》したら、たまったものではない。体《からだ》が足《あし》の裏《うら》の真上《まうえ》にあればいいが、少《すこ》しでもずれた姿勢《しせい》になると、滑《すべ》って転《ころ》ぶ。劇中《げきちゅう》の敵《てき》の身長《しんちょう》を1m80cmと仮定《かてい》すれば、頭《あたま》を床《ゆか》にぶつける速度《そくど》は時速《じそく》28km。100mを13秒《びょう》で駆《か》け抜《ぬ》けるような速度《そくど》で走《はし》っていて、水平《すいへい》に張《は》り出《だ》した材木《ざいもく》などに頭《あたま》をぶつけるのと同《おな》じである。「ズデェエ〜ン」という音《おと》の向《む》こうで、敵《てき》はこういうヒドイ目《め》に遭《あ》っていたわけだ。お気《き》の毒《どく》に……。

◆だから整理整頓《せいりせいとん》が大事《だいじ》だって！

では「ズル」「ツルリッ」「うぐっ」は、何《なに》が起《お》きていることを示《しめ》すのだろうか？

転《ころ》んだ敵《てき》は、立《た》ち上《あ》がろうとして、手《て》を床《ゆか》に突《つ》いたことだろう。この場合《ばあい》も、肩《かた》が手《て》のひらの真上《まうえ》にあればいいが、少《すこ》しでもずれていたら、「ツルリッ」と滑《すべ》って顔《かお》やシリを床《ゆか》にぶつけたはずだ。そして「うぐっ」は、その苦《くる》しみの声《こえ》だろう。

想像《そうぞう》を続《つづ》ければ、なんとか四《よ》つんばいになれても、手足《てあし》が滑《すべ》るため、前《まえ》にも後《うし》ろにも進《すす》めなかったはずだ。われわれが四《よ》つんばいで前《まえ》に進《すす》めるのは、摩擦《まさつ》のおかげで手《て》や膝《ひざ》が床《ゆか》を後方《こうほう》に押《お》す

ことが可能《かのう》であり、その反作用《はんさよう》を受《う》けるからだ。部屋《へや》の床《ゆか》から摩擦《まさつ》を奪《うば》われた者《もの》は、その場《ば》から動《うご》くことさえできない。

いや、よく考《かんが》えれば、その場《ば》に留《とど》まることさえできないだろう。現実《げんじつ》の建築物《けんちくぶつ》は、床《ゆか》が完璧《かんぺき》に水平《すいへい》ではない。部屋《へや》の床《ゆか》が南《みなみ》へわずか0・1度《ど》傾《かたむ》いていたとしても、敵《てき》が南側《みなみがわ》の壁《かべ》まで3mの位置《いち》にいる場合《ばあい》、敵《てき》はゆ〜っくりと滑《すべ》っていって、19秒後《びょうご》、時速《じそく》1・2㎞でトン、と壁《かべ》にぶつかることになる。

大変《たいへん》なのは、その後《あと》だ。

自分《じぶん》より北側《きたがわ》にあった家具《かぐ》も自分《じぶん》にぶつかってくる。テーブルが、椅子《いす》が、食器棚《しょっきだな》が、冷蔵庫《れいぞうこ》が、本棚《ほんだな》が、洋服箪笥《ようふくだんす》が……次々《つぎつぎ》に自分《じぶん》のほうへ滑《すべ》りながら近《ちか》づいてくる！　家具《かぐ》に載《の》せたものはぶつかったあともさらに滑《すべ》り、頭《あたま》の上《うえ》にドシャドシャ落《お》ちる！　食器《しょっき》や本《ほん》はもちろん、テーブルに熱《あつ》いコーヒーや納豆《なっとう》などを載《の》せていたら最悪《さいあく》だ〜。

◆地面《じめん》からも摩擦《まさつ》が奪《うば》われたら？

こうして敵《てき》を倒《たお》した（と思《おも》われる）定助《じょうすけ》だが、自分《じぶん》も安心《あんしん》はできない。定助《じょうすけ》はシャボン玉《だま》を天井《てんじょう》にぶつけることによって、それとつながった上《うえ》の階《かい》の床《ゆか》から摩擦《まさつ》を奪《うば》ったのだ。すると同時《どうじ》に、定助《じょうすけ》がいた部屋《へや》の天井《てんじょう》からも、摩擦《まさつ》は消失《しょうしつ》したはずである！

これは非常《ひじょう》に危《あぶ》ない。照明器具《しょうめいきぐ》は、多《おお》くの場合《ばあい》、天井《てんじょう》にネジで固定《こてい》されている。ネジの力《ちから》の源《みなもと》は摩擦《まさつ》だから、摩擦《まさつ》がなくなったら、照明《しょうめい》に働《はたら》く重力《じゅうりょく》に引《ひ》かれて、ネジはゆっくりと回《まわ》り始《はじ》め、最終的《さいしゅうてき》にスッポ抜《ぬ》けて、照明《しょうめい》がドシャーンと落《お》ちてくる！

悲劇《ひげき》はまだ続《つづ》く。前述《ぜんじゅつ》したとおり、階上《かいじょう》の床《ゆか》から摩擦力《まさつりょく》が奪《うば》われたのは、床《ゆか》が天井《てんじょう》とつながっていたからだろう。ところが、天井《てんじょう》は壁《かべ》にもつながっているし、壁《かべ》は建物《たてもの》の基礎《きそ》を通《つう》じて、地面《じめん》とつながっている。もし定助《じょうすけ》のシャボン玉《だま》により、地面《じめん》からも摩擦《まさつ》が奪《うば》われた……としたら、いったい何が起こるのか！？
これによる災厄《さいやく》は、無数《むすう》にある。ざっと考《かんが》えただけでも、
①走《はし》っている車《くるま》や電車《でんしゃ》は止《と》まれない。車《くるま》は曲《ま》がることもできない。
②突《つ》っ込《こ》んでくる車《くるま》から逃《に》げようとしても、足《あし》が滑《すべ》って動《うご》けない。
③釘《くぎ》やボルトやナットで組《く》まれた建造物《けんぞうぶつ》は、そよ風《かぜ》で倒《たお》れる。
④植物《しょくぶつ》も根《ね》と土《つち》の摩擦《まさつ》で立《た》っているため、大木《たいぼく》もそよ風《かぜ》で倒《たお》れる。
⑤エレベータを吊《つ》るワイヤーも摩擦《まさつ》で固定《こてい》されているので、スッポ抜《ぬ》ける。
⑥階段《かいだん》やエスカレータからは転《ころ》げ落《お》ちる。
⑦ビルに設置《せっち》された避難器具《ひなんきぐ》も、摩擦《まさつ》でゆっくり降下《こうか》させる仕組《しく》みなので、これで避難《ひなん》しようとすると、飛《と》び降《お》りるも同然《どうぜん》となる。
⑧レバーハンドル式《しき》のドアは開《あ》けられるが、ノブ式《しき》のドアは開《あ》けられない。
⑨鉛筆《えんぴつ》やチョークでは字《じ》が書《か》けない。
⑩バイオリンは鳴《な》らない。
⑪秋《あき》の虫《むし》は鳴《な》かない。
⑫原始人《げんしじん》は火《ひ》が起《お》こせない。……などなど。

◆東京湾《とうきょうわん》にドバーン！

なかでも困《こま》るのは、地面《じめん》には必《かなら》ず傾《かたむ》きがあることだろう。人《ひと》も車《くるま》も、坂道《さかみち》を上《のぼ》れない。丘《おか》の上《うえ》の住宅地《じゅうたくち》に住《す》んでいる人《ひと》は、外出《がいしゅつ》したが最後《さいご》、もう二度《にど》と懐《なつ》かしいわが家《や》に帰《かえ》れないのである。

それどころか、地面《じめん》に固定《こてい》されていないすべてのものが、低《ひく》いほうへ低《ひく》いほうへと滑《すべ》り落《お》ちていく。この結果《けっか》、最終的《さいしゅうてき》には海《うみ》に落《お》ちるか、海沿《うみぞ》いの堤防《ていぼう》に引《ひ》っかかるか、内陸《ないりく》の低《ひく》い場所《ばしょ》に溜《た》まっていくことになる。海辺《うみべ》や盆地《ぼんち》のみなさんは、いろんなものが押《お》し寄《よ》せて大変《たいへん》だ、など呑気《のんき》なことは言《い》っていられない。摩擦《まさつ》がないため、滑《すべ》れば滑《すべ》るほどスピードは上《あ》がっていく。

たとえば、筆者《ひっしゃ》の住《す》まいは練馬区《ねりまく》にあり、その標高《ひょうこう》は35m。これは大変《たいへん》だ。何《なに》もしなくても、少《すこ》しでも低《ひく》い方向《ほうこう》に滑《すべ》っていってしまい、練馬区《ねりまく》↓中野区《なかのく》↓新宿区《しんじゅくく》↓港区《みなとく》などの道路《どうろ》を滑《すべ》りに滑《すべ》って、最終的《さいしゅうてき》に時速《じそく》94㎞で東京湾《とうきょうわん》に突《つ》っ込《こ》んでしまう。

日本《にほん》でもっともヒドイ目《め》に遭《あ》うのは、定助《じょうすけ》が摩擦《まさつ》を奪《うば》った瞬間《しゅんかん》、富士山《ふじさん》に登《のぼ》っていた人《ひと》たちだろう。時速《じそく》980㎞で三保《みほ》の松原《まつばら》から遠州灘《えんしゅうなだ》に飛《と》び出《だ》す！

摩擦《まさつ》を奪《うば》うとは、これほど危険《きけん》な行為《こうい》なのだ。定助《じょうすけ》はこのワザを使《つか》う際《さい》には、細心《さいしん》の注意《ちゅうい》を払《はら》ってもらいたい。

とっても気《き》になるアニメの疑問《ぎもん》

『ハピネスチャージプリキュア!』のキュアラブリーは、目《め》から光線《こうせん》を出《だ》します。どんな原理《げんり》?

「プリキュアが目《め》から光線《こうせん》を出《だ》した」という話《はなし》を聞《き》いたとき、筆者《ひっしゃ》は本当《ほんとう》に躍《おど》って喜《よろこ》んだ。

かつてアニメや特撮《とくさつ》には、目《め》から光線《こうせん》を出《だ》す人々《ひとびと》がたくさんいた。スーパーマンも鉄腕《てつわん》アトムもウルトラマンもマジンガーZ《ゼット》も『ドラゴンボール』のピッコロも目《め》からビービー出《だ》していたが、近頃《ちかごろ》は『X《エックス》－MEN《メン》』のサイクロップスぐらいになってしまい、寂《さび》しい思《おも》いをしていたのだ。それをプリキュアがやってくれるとは!

問題《もんだい》のシーンは第《だい》19話《わ》「サッカー対決《たいけつ》!チームプリキュア結成《けっせい》!」で見《み》つかった。サッカーの試合中《しあいちゅう》、悪《あく》の幻影帝国《げんえいていこく》のオレスキーが、怪物《かいぶつ》サイアークと、戦闘員《せんとういん》チョイアークを率《ひき》いて出現《しゅつげん》。

プリキュアも変身《へんしん》して大乱戦《だいらんせん》となる。戦《たたか》いのさなか、愛乃《あいの》めぐみが変身《へんしん》したキュアラブリーは、目《め》から光線《こうせん》を発射《はっしゃ》してチョイアーク2名《めい》をぶっ飛《と》ばす。そして「ふう」とため息《いき》をつき、次《つぎ》の戦《たたか》いへ向《む》かった。

……えっ、それだけ!? せっかく目《め》から光線《こうせん》を放《はな》つという大仕事《おおしごと》を成《な》し遂《と》げたのに、戦果《せんか》がザコ退治《たいじ》!? う～む、あまりにももったいない。周囲《しゅうい》の皆《みな》さんも、久《ひさ》しぶりの偉業《いぎょう》を万雷《ばんらい》の拍手《はくしゅ》で称《たた》えていただきたい!

と叫《さけ》んでも、声《こえ》は遠《とお》い空《そら》に吸《す》い込《こ》まれていくだけなので、科学的《かがくてき》に考《かんが》えてみよう。目《め》から光線《こうせん》を出《だ》すとはスゴイことだが、どういうメカニズムなのか?

◆目《め》からレーザー?

キュアラブリーが目《め》から光線《こうせん》を放《はな》つ技《わざ》の名《な》は「ラブリー・ビーム」。両手《りょうて》の親指《おやゆび》と人差《ひとさ》し指《ゆび》で輪《わ》を作《つく》り、眼鏡《めがね》のように両目《りょうめ》に当《あ》てると、目《め》からピンクの光線《こうせん》が発射《はっしゃ》される。

これはどういう現象《げんしょう》なのだろう。生物《せいぶつ》の目《め》は、光《ひかり》を受《う》け取《と》るための器官《きかん》である。ネコの目《め》は車《くるま》のライトを浴《あ》びると光《ひか》るが、あれは光《ひかり》を出《だ》しているのではなく、反射《はんしゃ》しているだけだ。

もちろん「目《め》から」と限定《げんてい》しなければ、光《ひかり》を放《はな》つ生物《せいぶつ》は珍《めずら》しくない。ホタルなどは、食《た》べ物《もの》から得《え》たエネルギーを光《ひかり》に変《か》える仕組《しく》みを持《も》つ。ただし、異性《いせい》を呼《よ》び寄《よ》せるために仄《ほの》かに光《ひか》るだけで、敵《てき》を攻撃《こうげき》するほどの威力《いりょく》はない。

これに対《たい》してラブリー・ビームは、すごい現象《げんしょう》を起《お》こす。細《ほそ》い光線《こうせん》が一直線《いっちょくせん》、いや両目《りょうめ》からだから二直線《にちょくせん》に飛《と》び、人間《にんげん》をぶっ飛《と》ばすのだ。その威力《いりょく》から察《さっ》するに、放《はな》たれているのはレーザーしか考《かんが》えられない。

レーザーとは、強《つよ》いエネルギーを持《も》つ光《ひかり》のことだ。レーザーを作《つく》るには、①エネルギー源《げん》、②エネルギーをためる物質《ぶっしつ》、③合《あ》わせ鏡《かがみ》が必要《ひつよう》だ。②の物質《ぶっしつ》にエネルギーを溜《た》めて、一斉《いっせい》に光《ひかり》を放《ほう》出《しゅつ》させ、鏡《かがみ》のあいだを往復《おうふく》させることで、光《ひかり》の山《やま》と谷《たに》をそろえて発射《はっしゃ》する。

……とレーザーの説明《せつめい》はしてみたが、生物《せいぶつ》がこれを目《め》から放《はな》つことなど、できるのか!?

◆虹彩《こうさい》に何《なに》が起《お》きた?

キュアラブリーが目《め》からレーザーを放《はな》つには、右《みぎ》の①〜③が揃《そろ》っている必要《ひつよう》がある。

まずエネルギー源《げん》。現実《げんじつ》のレーザーには光《ひかり》や電気《でんき》が使《つか》われるが、理論的《りろんてき》にはどんなエネルギーでもレーザーは作《つく》れる。キュアラブリーの体内《たいない》には、食《た》べ物《もの》から得《え》たエネルギーがあるはずだから、これはOK《オーケー》といっていいだろう。

続《つづ》いてエネルギーを溜《た》める物質《ぶっしつ》。人間《にんげん》の目《め》には「虹彩《こうさい》」というドーナツ状《じょう》の筋肉《きんにく》があり、色素《しきそ》が含《ふく》まれる。色素《しきそ》のなかにはエネルギーを溜《た》めるものがあり、実際《じっさい》にレーザーに使《つか》われている。めぐみがキュアラブリーに変身《へんしん》するとき、虹彩《こうさい》の色素《しきそ》もいっしょに、エネルギーを溜《た》める色素《しきそ》に変身《へんしん》するとしたら……、えっ、これもOK《オーケー》ってこと⁉

最後《さいご》に合《あ》わせ鏡《かがみ》。虹彩《こうさい》の色素《しきそ》にエネルギーを溜《た》める以上《いじょう》、2枚《まい》の鏡《かがみ》は虹彩《こうさい》に設置《せっち》するしかないだろう。鏡《かがみ》のあいだの距離《きょり》は、虹彩《こうさい》の厚《あつ》さがあれば充分《じゅうぶん》だ。キュアラブリーが両手《りょうて》を眼鏡《めがね》の形《かたち》にした瞬間《しゅんかん》、虹彩《こうさい》の前面《ぜんめん》と後面《こうめん》に鏡《かがみ》が出現《しゅつげん》するとしたら、ややっ、これすらもOK《オーケー》⁉

驚《おどろ》いた。色素《しきそ》が変身《へんしん》するとか、虹彩《こうさい》に鏡《かがみ》が発生《はっせい》するとか、さまざまな困難《こんなん》はあるものの、それさえ乗《の》り越《こ》えれば、理論的《りろんてき》には目《め》からレーザーも放《はな》てるということだ。

だが、目《め》を鏡《かがみ》なんぞにしたら、周《まわ》りが見《み》えなくなるのでは？　うーん、その心配《しんぱい》はよくわかるけど、実《じつ》は大丈夫《だいじょうぶ》ではないかなあ。前述《ぜんじゅつ》したように、虹彩《こうさい》はドーナツ状《じょう》の筋肉《きんにく》で、その穴《あな》が瞳《ひとみ》だ。外部《がいぶ》からの光《ひかり》は瞳《ひとみ》を通《とお》して目《め》の内部《ないぶ》に入《はい》ってくるから、虹彩《こうさい》が鏡《かがみ》になっても視力《しりょく》を失《うしな》ったりはしない……はず。

ただし、虹彩《こうさい》を往復《おうふく》する光《ひかり》が、ちょっとでもズレて瞳《ひとみ》に入《はい》ったら、自分《じぶん》の網膜《もうまく》が焼《や》けて大変《たいへん》なことになる。キュアラブリーはくれぐれも気《き》をつけてもらいたい。

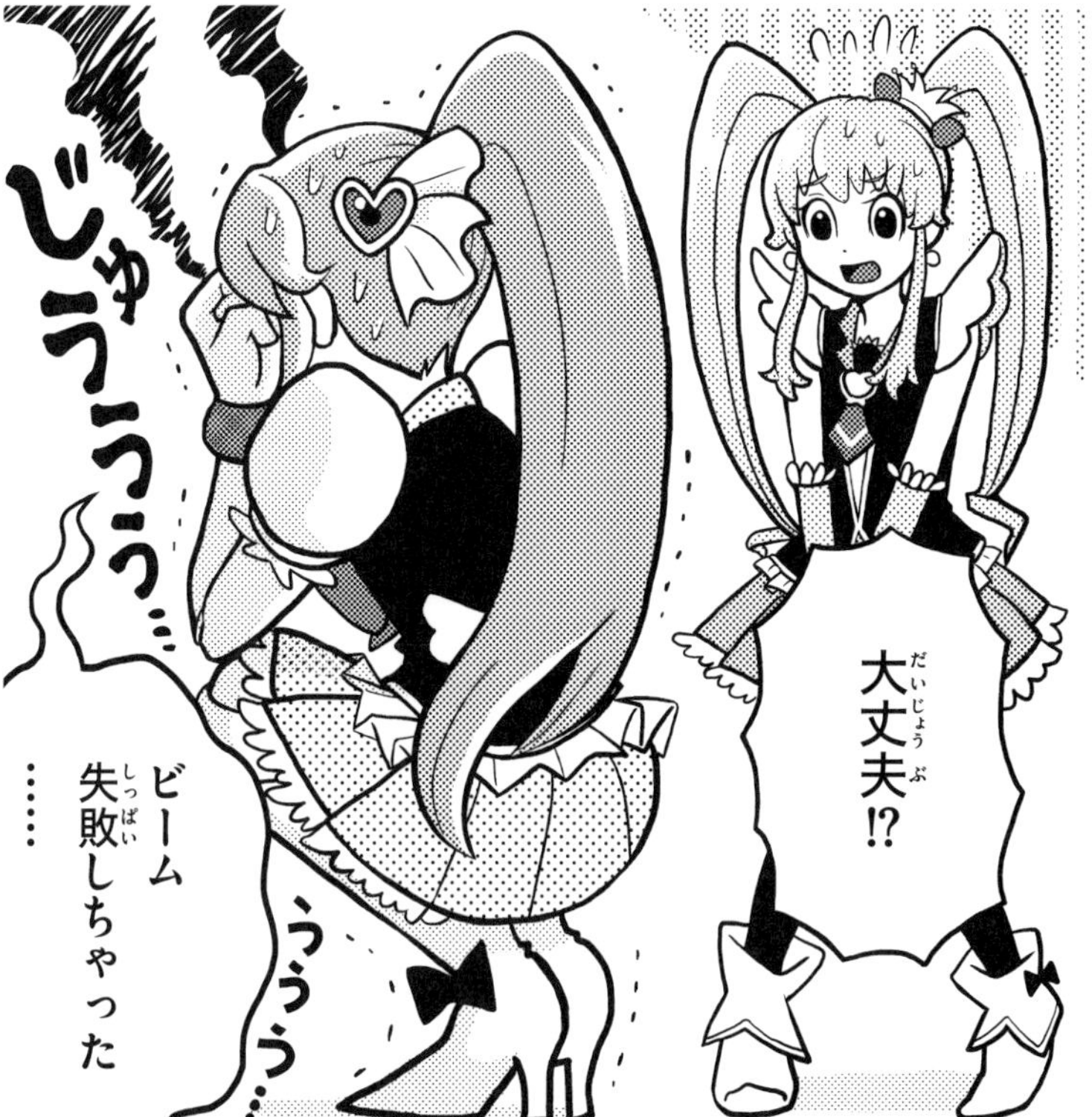

◆8tも痩《や》せてしまう!

こうして発射《はっしゃ》されたレーザーの威力《いりょく》はどれほどか。

レーザーは、現実世界《げんじつせかい》では鉄板《てっぱん》を焼《や》き切《き》ったりするのに使《つか》われるが、キュアラブリーはチョイアークに対《たい》して、そんなザンコクなことはしなかった。ちょっとぶっ飛《と》ばしただけ。まあ、チョイアークだしね。

だが、レーザーで成人男性《せいじんだんせい》2名《めい》をぶっ飛《と》ばすとは、大変《たいへん》なことだ。光《ひかり》にも物《もの》を押《お》す力《ちから》はあるが、きわめて弱《よわ》いからだ。人間《にんげん》を飛《と》ばそうと思《おも》ったら、猛烈《もうれつ》な出力《しゅつりょく》が必要《ひつよう》になる。

画面《がめん》で測定《そくてい》すると、照射時間《しょうしゃじかん》は0・2秒《びょう》。チョイアークの体重《たいじゅう》が70kg、飛《と》んだ距離《きょり》が3mとすると、ラブリー・ビームの出力《しゅつりょく》は15億kW《おくキロワット》という計算《けいさん》になる。なんと日本全国《にほんぜんこく》の発電力《はつでんりょく》の15倍《ばい》！

こんな大出力《だいしゅつりょく》のレーザーを0・2秒《びょう》も放《はな》ったら、320tの鉄《てつ》を溶《と》かせる。チョイアーク2名《めい》など、影《かげ》も形《かたち》も残《のこ》さず蒸発《じょうはつ》させることだろう。しかし、キュアラブリーはそれをせず、この超出力《ちょうしゅつりょく》のレーザーを、軽《かる》くぶっ飛《と》ばすのに使《つか》っているのだ。なんと心《こころ》の優《やさ》しい少女《しょうじょ》でしょう。

ここまでの大出力《だいしゅつりょく》となると、キュアラブリーの体内《たいない》でも、莫大《ばくだい》なエネルギーが消費《しょうひ》されたはずだ。生物《せいぶつ》の体内《たいない》でエネルギーを蓄《たくわ》える脂肪《しぼう》に換算《かんさん》して8t。えっ、キュアラブリーは一瞬《いっしゅん》でそんなにヤセた!? なんと効果絶大《こうかぜつだい》な目《め》から光線《こうせん》ダイエット！

などと喜《よろこ》んでいいのか。8tも痩《や》せちゃったら、自分自身《じぶんじしん》が消滅《しょうめつ》するではないか。

しかも、人間《にんげん》2人《ふたり》をぶっ飛《と》ばす以上《いじょう》、自分《じぶん》も反作用《はんさよう》を受《う》けるはずである。ラブリーの体重《たいじゅう》を45kgとすれば、チョイアーク2人《ふたり》の体重《たいじゅう》はその3倍《ばい》だ。ボンヤリしていたら、自分《じぶん》は3倍《ばい》の9mもぶっ飛《と》ばされる！　結局自分《けっきょくじぶん》のほうが、ダメージが大《おお》きい！

これほど大変《たいへん》なことをやりながら、ため息《いき》をついただけで次《つぎ》の戦《たたか》いに向《む》かったキュアラブリー。ヒロインの鑑《かがみ》であります。

『おおきな おおきな おいも』に出《で》てくる巨大《きょだい》なイモ。どれほどの大《おお》きさですか?

子《こ》どもの頃《ころ》に『おおきな おおきな おいも』という絵本《えほん》を読《よ》んだ人《ひと》も多《おお》いのではないだろうか。絵本《えほん》というものは、子《こ》ども向《む》けと思《おも》って油断《ゆだん》していると、ときどき恐《おそ》るべきことが起《お》きていたりするが、この本《ほん》はまさにそうだった。

あおぞら幼稚園《ようちえん》の子《こ》どもたちは、いもほり遠足《えんそく》を楽《たの》しみにしていた。ところが、当日《とうじつ》は雨《あめ》。1週間《しゅうかん》の延期《えんき》となる。みんなが残念《ざんねん》がるなか、1人《ひとり》が言《い》う。

「おいもはね　1つ　ねると　むくっと　おおきくなって　2つ　ねると　むくっ　むくっと　おおきくなって（中略《ちゅうりゃく》）7つ　ねると　いっぱい　おおきくなって　まってて　くれるよ」。

ふむ、サツマイモの生長《せいちょう》に関《かん》する発言《はつげん》ですな。確《たし》かにイモの葉《は》が昼間《ひるま》に光合成《こうごうせい》で作《つく》ったデンプンは、夜《よる》のあいだに根《ね》へ運《はこ》ばれてイモにたまるから、「ねると」という着眼《ちゃくがん》は鋭《するど》い。だが、一晩《ひとばん》ごとに「むくっ」とまで大《おお》きくなったりはしませんぞ！……などと幼稚園児《ようちえんじ》に噛《か》みついてどーする⁉

物語《ものがたり》では、この言葉《ことば》がきっかけとなり、園児《えんじ》たちの想像力《そうぞうりょく》に火《ひ》がついた。皆《みな》で大《おお》きなイモの絵《え》を描《か》き始《はじ》め、紙《かみ》を次《つぎ》から次《つぎ》につないで描《か》き上《あ》げたイモは、先生《せんせい》がひっくり返《かえ》るほど大《おお》きかった。

それはどれほど大《おお》きなイモだったのか？ここでは大《おお》マジメに考《かんが》えてみよう。

◆全長《ぜんちょう》98ｍのイモ！

園児《えんじ》たちが描《えが》いたイモは、尋常《じんじょう》でなく巨大《きょだい》であった。絵《え》の周《まわ》りを走《はし》り回《まわ》る子《こ》どもたちと比《くら》べると、直径《ちょっけい》が彼《かれ》らの身長《しんちょう》の6・5倍《ばい》もある。5歳児《さいじ》の平均身長《へいきんしんちょう》は110㎝だから、イモの直径《ちょっけい》は7ｍということだ！　長《なが》さがこれでもビックリなのに、直径《ちょっけい》が7ｍとは、驚異《きょうい》のデカさ。新幹線《しんかんせん》N《エヌ》700系《けい》の車輪《しゃりん》から屋根《やね》までの高《たか》さが3・5ｍだから、ちょうどその2倍《ばい》もある。

長《なが》さは、もっとすごい。絵本《えほん》の見開《みひら》きに入《はい》らないどころか、延々《えんえん》13ページにわたる長大《ちょうだい》さだ。園児《えんじ》たちと比《くら》べると、一《ひと》つの見開《みひら》きは15ｍに相当《そうとう》するから、長《なが》さは実《じつ》に98ｍ！

しかも驚《おどろ》くべきことに、子《こ》どもたちはこの絵《え》を折《お》りたたみもせず広《ひろ》げている。幼稚園《ようちえん》というところには、そんなことができる広大《こうだい》な部屋《へや》があるのか⁉

紙《かみ》も大量《たいりょう》に使《つか》ったはずだ。つないだ紙《かみ》の大《おお》きさは、縦《たて》8・6m、横《よこ》100m。近所《きんじょ》の幼稚園《ようちえん》の先生《せんせい》に聞《き》いたところ、子《こ》どもたちに大《おお》きな絵《え》を描《か》かせるときは模造紙《もぞうし》を使《つか》うという。そこで模造《もぞう》紙《し》を測《はか》ってみると縦《たて》78・8㎝、横《よこ》109・3㎝。あおぞら幼稚園《ようちえん》の子《こ》どもたちは、これを縦《たて》に11枚《まい》つないだものを、さらに横《よこ》に92枚《まい》つないでいったのだろう。

すると、使用《しよう》した模造紙《もぞうし》は合計《ごうけい》1012枚《まい》。近所《きんじょ》の文房具屋《ぶんぼうぐや》さんで値段《ねだん》を調《しら》べると、1枚《まい》あたり消費税別《しょうひぜいべつ》40円《えん》だった。いま買《か》うとしたら消費税《しょうひぜい》がついて、紙代《かみだい》だけで4万《まん》3718円《えん》かかってしまう！　あおぞら幼稚園《ようちえん》は、それだけのおカネをかけて、子《こ》どもたちの想像力《そうぞうりょく》を育《はぐく》もうとしたんでしょうなあ。なんと立派《りっぱ》な幼稚園《ようちえん》！

◆全国《ぜんこく》の幼稚園児《ようちえんじ》よ、結集《けっしゅう》せよ

この巨大《きょだい》なイモを、園児《えんじ》たちはどうしたか？　皆《みな》で引《ひ》っこ抜《ぬ》き、ヘリコプターで幼稚園《ようちえん》に運《はこ》び、プールに浮《う》かべて船《ふね》にしたり、飾《かざ》りをつけて恐竜《きょうりゅう》にしたり……。そして料理《りょうり》して食《た》べると、お腹《なか》はパンパンに膨《ふく》れ上《あ》がり、おならで宇宙《うちゅう》へ行《い》って、夕焼《ゆうや》け雲《ぐも》に乗《の》ってお家《うち》へ帰《かえ》ったのでした。

もちろん、引《ひ》っこ抜《ぬ》くあたりからは空想《くうそう》の世界《せかい》だろうが、遠足《えんそく》の延期《えんき》から発展《はってん》してすごい話《はなし》になったものである。なかなか食《く》い意地《いじ》が張《は》っちょりますなあ。

そんな園児《えんじ》たちの食欲《しょくよく》を、科学的《かがくてき》に考《かんが》えてみよう。

まず、直径《ちょっけい》７ｍ、長《なが》さ98ｍものイモを、幼稚園児《ようちえんじ》だけで引《ひ》っこ抜《ぬ》けるのか？　イモの重量《じゅうりょう》を計《けい》算《さん》すると、うえっ、実《じつ》に３９００ｔ。これが土中《どちゅう》に埋《う》まっているのだから、引《ひ》っ張《ぱ》り出《だ》すには重《じゅう》量《りょう》を超《こ》える力《ちから》が必要《ひつよう》だ。

イモ掘《ほ》りの経験《けいけん》がある人《ひと》は、その感触《かんしょく》を思《おも》い出《だ》してもらいたい。ツルを引《ひ》っ張《ぱ》ったら、イモのひげがバリボリと切《ぎ》れる手《て》ごたえがして、直径《ちょっけい》10㎝、長《なが》さ20㎝の芋《いも》が３つほどついてきた、というケースがなかっただろうか。そのときに出《だ》した力《ちから》を５kgと仮定《かてい》するなら、直径《ちょっけい》７ｍ、長《なが》さ98ｍの巨大《きょだい》イモを引《ひ》き抜《ぬ》く力《ちから》は８６００ｔ。

通常《つうじょう》の幼稚園児《ようちえんじ》が、前述《ぜんじゅつ》のようなイモを引《ひ》っこ抜《ぬ》くのがやっとだとしたら、この巨大《きょだい》イモを引《ひ》き抜《ぬ》くには１７０万人《まんにん》が結集《けっしゅう》せねばならないことになる。２０１４年《ねん》の統計《とうけい》では、全国《ぜんこく》の幼稚園《ようちえん》児《じ》は１５６万人《まんにん》。ああっ、14万人《まんにん》足《た》りない！

こうして引《ひ》っ張《ぱ》り出《だ》したら、次《つぎ》は幼稚園《ようちえん》までの運搬《うんぱん》だ。「ばすにのせよう」という意見《いけん》が出《で》るが「おもくて　はしれないよ」「やねが　つぶれちゃうよ」と却下《きゃっか》される。３９００ｔもあったら、

間違《まちが》いなくそうなると筆者《ひっしゃ》も思《おも》う。科学的《かがくてき》な園児《えんじ》たちである。

「もっと　もっと　いいことがあるよ」という提案《ていあん》で実行《じっこう》されたのは、ヘリコプターによる吊《つ》り下《さ》げ搬送《はんそう》であった。しかし、自衛隊最強《じえいたいさいきょう》の輸送《ゆそう》ヘリコプターCH－47Jの吊《つ》り下《さ》げ能力《のうりょく》は1機《き》あたり12t。絵本《えほん》ではたった2機《き》で吊《つ》っているが、この能力《のうりょく》からすると、330機《き》ものヘリコプターが必要《ひつよう》である。

◆そのイモ、食《た》べ切《き》れるのか!?

さて、子《こ》どもたちは、この巨《きょ》

大《だい》なイモを食《た》べたわけである。

近所《きんじょ》の八百屋《やおや》さんでサツマイモを買《か》ってくると……、幼稚園《ようちえん》に続《つづ》き、やたら近所《きんじょ》で物事《ものごと》を解決《かいけつ》しようとしているが、とにかく買《か》ってくると、1本《ぽん》の重《おも》さは210gであった。これを近所《きんじょ》の幼《よう》稚園《ちえん》の先生《せんせい》に見《み》てもらったところ「これぐらいなら、1人《ひとり》で食《た》べちゃいますね。2本食《ほんた》べる子《こ》もいると思《おも》います」。

この話《はなし》から、幼稚園児《ようちえんじ》1人《ひとり》が300gのイモで満腹《まんぷく》になると考《かんが》えよう。すると3900tなら1300万人《まんにん》がお腹《なか》いっぱいになるわけで、全国《ぜんこく》の幼稚園児《ようちえんじ》156万人《まんにん》ではとても食《た》べきれず、660万人《まんにん》いる小学生《しょうがくせい》たちや350万人《まんにん》いる中学生《ちゅうがくせい》たちに分《わ》けてもまだ余《あま》る。

子《こ》どもたちは「たくさん　たべて　おなか　ぽーんぽん　ふうせんみたい」になったという。全部食《ぜんぶた》べたら大変《たいへん》だ。テーブルについた子《こ》どもたちは64人《にん》。1人《ひとり》が61t食《た》べたことになり、お腹《なか》は直径《ちょっけい》5mの風船《ふうせん》みたいになってしまう！

これほど巨大《きょだい》なイモを想像《そうぞう》したあおぞら幼稚園《ようちえん》の子《こ》どもたちは、まことに立派《りっぱ》。でも、ちょっとイモが好《す》きすぎだと思《おも》うぞ。

『アルプスの少女《しょうじょ》ハイジ』の主題歌《しゅだいか》の歌詞《かし》に出《で》てくる疑問《ぎもん》について、教《おし》えてください。

1冊目《さつめ》の『ジュニア空想科学読本《くうそうかがくどくほん》』では、『アルプスの少女《しょうじょ》ハイジ』のブランコの謎《なぞ》を考《かんが》えた。オープニングの主題歌《しゅだいか》に合《あ》わせてハイジが漕《こ》いでいた、あの長《なが》〜いブランコである。

先日《せんじつ》、近所《きんじょ》を散歩《さんぽ》しながら、その主題歌《しゅだいか》を口《くち》ずさんでいたところ、ある事実《じじつ》に気《き》がついて愕然《がくぜん》とした。それはこんな歌詞《かし》ではなかったか。

口笛《くちぶえ》はなぜ遠《とお》くまで聞《き》こえるの　あの雲《くも》はなぜわたしを待《ま》ってるの
おしえておじいさん　おしえておじいさん　おしえてアルムの樅《もみ》の木《き》よ

質問《しつもん》の2連発《れんぱつ》！　直後《ちょくご》に「教《おし》えて」と3回《かい》も繰《く》り返《かえ》している！　こ、これは「質問《しつもん》」の歌《うた》だったのか!?　慌《あわ》てて仕事場《しごとば》に戻《もど》り、ネットで調《しら》べてみると、なんとこの主題歌《しゅだいか》のタイトルは、ずばり「おしえて」。そして、2番《ばん》、3番《ばん》の歌詞《かし》は次《つぎ》のようなものだった。

雪《ゆき》の山《やま》なぜバラ色《いろ》にそまるの　あの風《かぜ》は何処《どこ》に隠《かく》れているの
おしえておじいさん　おしえておじいさん　おしえてアルムの樅《もみ》の木《き》よ
眠《ねむ》るときなぜ星《ほし》はそっとみているの　わらの中《なか》なぜいつもあったかいの
おしえておじいさん　おしえておじいさん　おしえてアルムの樅《もみ》の木《き》よ

う〜む、短《みじか》い歌詞《かし》のなかで、矢継《やつ》ぎ早《ばや》に6つも質問《しつもん》している。ハイジは好奇心旺盛《こうきしんおうせい》な女《おんな》の子《こ》なのだなあ。こういうヒトに会《あ》うと、血《ち》が騒《さわ》ぐ。筆者《ひっしゃ》は、かつて学習塾《がくしゅうじゅく》の講師《こうし》を務《つと》めていたし、何年《なんねん》か前《まえ》には全国《ぜんこく》100の書店《しょてん》を回《まわ》り、その場《ば》でお客《きゃく》さんや店員《てんいん》さんの質問《しつもん》に答《こた》える「教《おし》えて！理科雄《りかお》ちゃん」というイベントもやったのだ。「教《おし》えて」と頼《たの》まれたら、教《おし》えずにはいられない！
というわけで、歌詞《かし》に提示《ていじ》されている6つの質問《しつもん》について、勝手《かって》に筆者《ひっしゃ》が答《こた》えましょー。

◆質問《しつもん》1）口笛《くちぶえ》はなぜ遠《とお》くまで聞《き》こえるの？

1冊目《さつめ》の原稿《げんこう》にも書《か》いたけど、それはハイジがオープニングで長《なが》～いブランコを漕《こ》いでいるからこそ。画面《がめん》で測定《そくてい》&計算《けいさん》すると、ブランコの長《なが》さは37mもあり、しかも足《あし》の下《した》に教会《きょうかい》の屋根《やね》が見《み》えている。どうやら彼女《かのじょ》はものすごく高《たか》いところでブランコを漕《こ》いでいるらしいのだ。

音《おと》は全方位《ぜんほうい》にドーム状《じょう》に広《ひろ》がる。空《そら》を舞《ま》うヒバリやトンビの声《こえ》がよく聞《き》こえ、スピーカーが高《たか》い場所《ばしょ》に設置《せっち》されるように、障害物《しょうがいぶつ》のない上空《じょうくう》では音《おと》が伝《つた》わりやすい。口笛《くちぶえ》が遠《とお》くまで聞《き》こえるのは、ハイジがそんな高《たか》いところにいるからだ。

◆質問《しつもん》2）あの雲《くも》はなぜわたしを待《ま》ってるの？

雲《くも》は風《かぜ》に流《なが》される。それが待《ま》っているように見《み》えるとしたら、本日《ほんじつ》は風《かぜ》が吹《ふ》いていないのだろう。上空《じょうくう》はいつも強《つよ》い風《かぜ》が吹《ふ》いているが、綿雲《わたぐも》が生《う》まれる低層域《ていそういき》では無風《むふう》のこともある。

だが、待《ま》っているように見《み》えるからといって、近《ちか》づいていくと悲《かな》しいことになる。近《ちか》づいた分《ぶん》だけ、雲《くも》が遠《とお》ざかるように見《み》えてしまうのだ。

雲《くも》の高《たか》さは種類《しゅるい》によってさまざまだが、綿雲《わたぐも》で上空《じょうくう》2千《せん》m、うろこ雲《ぐも》だと上空《じょうくう》7千《せん》mといったところに生《しょう》じる。これほど遠《とお》いものに対《たい》しては、自分《じぶん》が10mや100m移動《いどう》しても、見《み》た目《め》の位《い》置《ち》はほとんど変《か》わらない。月《つき》を見《み》ながら歩《ある》くと、月《つき》がついてくるように見《み》えるのも同《おな》じ理由《りゆう》だ。雲《くも》が待《ま》っているように見《み》える日《ひ》は、静《しず》かに雲《くも》を見《み》つめていましょう。

◆質問《しつもん》3）雪《ゆき》の山《やま》なぜバラ色《いろ》にそまるの？

雪山《ゆきやま》がバラ色《いろ》に染《そ》まるのは、朝《あさ》か夕方《ゆうがた》だ。白《しろ》い雪《ゆき》が赤《あか》くなるのは、確《たし》かに不思議《ふしぎ》だろう。太陽光線《たいようこうせん》には、いろいろな色《いろ》の光《ひかり》が混《ま》ざっている。日本《にほん》では虹《にじ》の色《いろ》を「赤橙黄緑青藍紫《せきとうおうりょくせいらんし》」と表現《ひょうげん》するが、虹《にじ》は太陽《たいよう》の光《ひかり》がもともとの色《いろ》に分《わ》かれたものだ。このうち紫《むらさき》に近《ちか》い光《ひかり》は、空気《くうき》の粒《つぶ》や空中《くうちゅう》の塵《ちり》でいろんな方向《ほうこう》に跳《は》ね返《かえ》される。赤《あか》い光《ひかり》は、それらをすり抜《ぬ》けてまっすぐに進《すす》む。昼間《ひるま》は、太陽《たいよう》が上《うえ》から当《あ》たるので、跳《は》ね返《かえ》された紫《むらさき》や青《あお》の光《ひかり》が空《そら》に広《ひろ》がる。だから空《そら》は青《あお》い。朝《あさ》や夕方《ゆうがた》は、太陽《たいよう》の光《ひかり》は横《よこ》から当《あ》たるので、昼間《ひるま》よりも空気《くうき》の厚《あつ》い層《そう》を通《とお》ってくる。そのため、青《あお》い光《ひかり》は跳《は》ね返《かえ》され続《つづ》けるうちに散《ち》らばってしまい、赤《あか》い光《ひかり》だけが届《とど》く。だから、空《そら》は赤《あか》く見《み》え、雪山《ゆきやま》もバラ色《いろ》に染《そ》まるのだ。

これを明《あき》らかにしたのはイギリスの大科学者《だいかがくしゃ》レイリーで、1871年《ねん》のこと。アニメの原作《げんさく》の小説《しょうせつ》『アルプスの少女《しょうじょ》』が発表《はっぴょう》されたのは1880年《ねん》。『ハイジ』の舞台《ぶたい》がその頃《ころ》だとすると、彼女《かのじょ》は当時最先端《とうじさいせんたん》の質問《しつもん》をしたわけだ。おじいさんも、聞《き》かれたって困《こま》ったと思《おも》うなあ。

◆質問《しつもん》4）あの風《かぜ》は何処《どこ》に隠《かく》れているの？

これは、ハイジに認識《にんしき》を改《あらた》めてもらいたい。風《かぜ》は確《たし》かに目《め》に見《み》えないが、だからといってどこかに隠《かく》れているわけではないっ（キッパリ）。

風《かぜ》は、数百《すうひゃく》kmぐらいの範囲《はんい》で起《お》こる大規模《だいきぼ》な自然現象《しぜんげんしょう》だ。一般的《いっぱんてき》には、空気《くうき》の濃《こ》い「高気圧《こうきあつ》」から、空気《くうき》の薄《うす》い「低気圧《ていきあつ》」に向《む》かって吹《ふ》く。日本《にほん》では、太平洋高気圧《たいへいようこうきあつ》が活発《かっぱつ》になる夏《なつ》は、南東《なんとう》から北西《ほくせい》へ風《かぜ》が吹《ふ》き、シベリア高気圧《こうきあつ》が勢力《せいりょく》を増《ま》す冬《ふゆ》は、北《ほく》西《せい》から南東《なんとう》へ風《かぜ》が吹《ふ》く。

アルプスでは、地中海《ちちゅうかい》から吹《ふ》いてきた風《かぜ》が、山《やま》を超《こ》えて北《きた》へ抜《ぬ》ける「フェーン」が有名《ゆうめい》だ。南《みなみ》の斜面《しゃめん》を上《のぼ》るときは雪《ゆき》を降《ふ》らせ、北《きた》の斜面《しゃめん》を降《お》りるときは温度《おんど》が高《たか》くなり、雪《ゆき》を溶《と》かす。

アルプスの風《かぜ》は、隠《かく》れているのではなく、地中海《ちちゅうかい》からやってくるのだ。

◆質問《しつもん》5）眠《ねむ》るときなぜ星《ほし》はそっとみているの？

星《ほし》は、近《ちか》いもので数光年《すうこうねん》、遠《とお》いものだと数百光年《すうひゃくこうねん》の彼方《かなた》で輝《かがや》いている。「1光年《こうねん》」とは光《ひかり》が1年《ねん》かけて進《すす》む距離《きょり》だ。数百光年《すうひゃくこうねん》より遠《とお》くにも星《ほし》はあるが、宇宙《うちゅう》に漂《ただよ》うガスにさえぎられて、肉眼《にくがん》では見《み》えない。

だから、もし星《ほし》に目《め》があったとしても、いまのハイジの姿《すがた》が見《み》えるのは、数年後《すうねんご》から数百年後《すうひゃくねんご》。いま星《ほし》が見《み》ているのは数年前《すうねんまえ》から数百年前《すうひゃくねんまえ》のアルプスの風景《ふうけい》だ。

つまり、いま夜空《よぞら》にまたたいている星《ほし》はハイジを見《み》ているわけではないので、あんまり気《き》にせず、安心《あんしん》して眠《ねむ》ってよいと思《おも》います。

◆質問《しつもん》6）わらの中《なか》なぜいつもあったかいの？

藁《わら》が暖《あたた》かいのは、藁《わら》には隙間《すきま》がたくさんあって、そこに空気《くうき》が含《ふく》まれるからだ。空気《くうき》は熱《ねつ》を伝《つた》えにくいので、寒《さむ》いアルプスでも、体《からだ》の熱《ねつ》が外《そと》に逃《に》げて行《い》くのを防《ふせ》いでくれる。

藁《わら》はイネやムギの枯《か》れた茎《くき》で、その中心《ちゅうしん》は、同《おな》じイネ科《か》のタケのように空洞《くうどう》になっている。これに加《くわ》えて、生《い》きているときに水《みず》を吸《す》い上《あ》げていた「道管《どうかん》」という無数《むすう》の細《ほそ》い管《くだ》も、いまは隙間《すきま》になって空気《くうき》をためている。寒冷地《かんれいち》のベッドの素材《そざい》として、非常《ひじょう》に優《すぐ》れているわけである。

以上《いじょう》、6つの質問《しつもん》に答《こた》えてみたが、18世紀《せいき》の終《お》わりに、このような疑問《ぎもん》を抱《いだ》いたハイジは立派《りっぱ》だと思《おも》う。このヒト、その後《ご》どうしたんだろう？　ひょっとしたら科学者《かがくしゃ》になったのでは？

聞《き》かれて困《こま》ったのは、おじいさんやアルムの樅《もみ》の木《き》であろう。原作《げんさく》の小説《しょうせつ》によれば、おじいさんは若《わか》い頃《ころ》、酒《さけ》や賭博《とばく》にはまり、兵隊時代《へいたいじだい》には軍《ぐん》から脱走《だっそう》するなど、結構《けっこう》ヤンチャな人生《じんせい》を歩《あゆ》んできたらしい。レイリーの著作《ちょさく》まで読《よ》んでいただろうか……。

ハイジはせめて、クララの家庭教師《かていきょうし》のロッテンマイヤーさんに聞《き》くべきだったと思《おも》うけど、あの厳格《げんかく》なご婦人《ふじん》を苦手《にがて》としてたからなあ。だから、おじいさんに聞《き》いてダメだったら、いきなり樅《もみ》の木《き》に聞《き》くという暴挙《ぼうきょ》に走《はし》ったのかも。そんなふうに考《かんが》え、代《か》わりに筆者《ひっしゃ》が答《こた》えました〜。

とっても気《き》になる諺《ことわざ》の疑問《ぎもん》

「犬猿《けんえん》の仲《なか》」という言葉《ことば》がありますが、犬《いぬ》と猿《さる》がケンカしたら、どっちが勝《か》ちますか？

「犬猿《けんえん》の仲《なか》」とは仲《なか》が悪《わる》いことの喩《たと》えだが、なぜこんな諺《ことわざ》が、諺《ことわざ》として通用《つうよう》しているのだろう？筆者《ひっしゃ》はこれまで、犬《いぬ》と猿《さる》がケンカしているところなど、一度《いちど》も見《み》たことがないのだが。

犬《いぬ》は、オオカミに近《ちか》い肉食動物《にくしょくどうぶつ》で、古《ふる》くから人間《にんげん》とともに暮《く》らしてきた。対《たい》する猿《さる》は、木《こ》の葉《は》や果実《かじつ》や昆虫《こんちゅう》を食《た》べる雑食動物《ざっしょくどうぶつ》で、森林《しんりん》に住《す》む。普通《ふつう》に考《かんが》えれば、両者《りょうしゃ》が出会《であ》うことは少《すく》ないし、戦《たたか》ったとしても肉食動物《にくしょくどうぶつ》の犬《いぬ》が圧勝《あっしょう》しそうな気《き》がする。だが、接触《せっしょく》する機会《きかい》がなかったり、どちらかが一方的《いっぽうてき》に強《つよ》かったりしたら、人間《にんげん》が「仲《なか》が悪《わる》い」と認識《にんしき》することもなかったはずだ。ということは、昔《むかし》は犬《いぬ》と猿《さる》はよく戦《たたか》い、その実力《じつりょく》は伯仲《はくちゅう》していた……のだろうか？

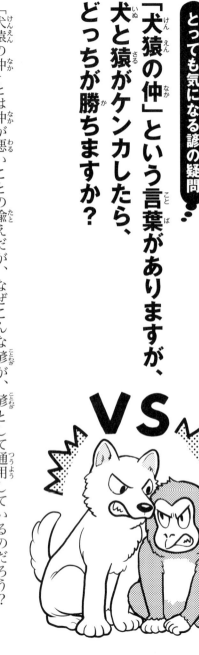

本稿《ほんこう》では「犬猿《けんえん》の仲《なか》」という諺《ことわざ》を真面目《まじめ》に考《かんが》えてみよう。もし犬《いぬ》と猿《さる》が戦《たたか》ったら、はたしてどちらが強《つよ》いのか？

◆「犬猿《けんえん》の仲《なか》」になって900年《ねん》！

犬《いぬ》と猿《さる》は「子丑寅卯辰巳午未申酉戌亥《ねうしとらうたつみうまひつじさるとりいぬい》」で一巡《ひとめぐ》りする干支《えと》にも登場《とうじょう》する。猿《さる》は「申《さる》」で9番目《ばんめ》、犬《いぬ》は「戌《いぬ》」で11番目《ばんめ》だ。この順序《じゅんじょ》になった理由《りゆう》について『十二支《じゅうにし》のはじまり』(岩崎京子《いわさききょうこ》・文《ぶん》／二俣英五郎《ふたまたえいごろう》・画《が》／教育画劇《きょういくがげき》)という絵本《えほん》は、こう伝《つた》えている。

ある年《とし》の元日《がんじつ》、動物《どうぶつ》たちが神《かみ》さまの御殿《ごてん》までレースを行《おこな》ったところ、この順番《じゅんばん》にゴールした。犬《いぬ》と猿《さる》はケンカしていたため、あいだに入《はい》ってケンカを止《と》めていた鶏《にわとり》ともども、こんなに遅《おそ》くなったのだという。干支《えと》の順番《じゅんばん》にまで影響《えいきょう》を与《あた》えるとは、骨《ほね》の髄《ずい》から不仲《ふなか》なんですな〜。

このような昔話《むかしばなし》ができたのも、昔《むかし》の日本人《にほんじん》に「犬《いぬ》と猿《さる》は仲《なか》が悪《わる》い」という認識《にんしき》があったからだろう。それは、いつごろ生《う》まれたのか。『岩波《いわなみ》ことわざ辞典《じてん》』を引《ひ》いて、びっくり！　なんと12世紀《せいき》の初《はじ》めに成立《せいりつ》した『今昔物語《こんじゃくものがたり》』の「巻二十六ノ七《かんにじゅうろくのなな》」に、すでに用例《ようれい》があるという。

『今昔物語《こんじゃくものがたり》』を読《よ》んでみると、確《たし》かに「本《もと》より犬《いぬ》と猿《さる》とは中不吉者《なかよからぬもの》を」という一節《いっせつ》がある。なんとまあ、犬《いぬ》と猿《さる》が不仲《ふなか》なのは、平安時代《へいあんじだい》から常識《じょうしき》だったのだ。

だが、「犬《いぬ》と猿《さる》」といっても、それぞれ種類《しゅるい》があり、体《からだ》の大《おお》きさも違《ちが》う。

犬《いぬ》は、ネコ目《もく》イヌ科《か》イヌという一《ひと》つの種《しゅ》の動物《どうぶつ》で、犬種《けんしゅ》の違《ちが》いは、サル目《もく》ヒト科《か》ヒトの人種《じんしゅ》の違《ちが》いと同《おな》じである。最大《さいだい》はセント・バーナードで体重《たいじゅう》は50〜90kg。最小《さいしょう》はチワワで3kg。

猿《さる》は、ヒトを除《のぞ》くサル目《もく》の動物《どうぶつ》を指《さ》し、220種類《しゅるい》がいる。最大《さいだい》はマウンテンゴリラで、雄《おす》の体重《たいじゅう》は150〜200kg。最小《さいしょう》はピグミーネズミキツネザルで、体長《たいちょう》6〜7㎝、体重《たいじゅう》25〜40g。

いや〜、どちらも大小《だいしょう》あるなあ。では『今昔物語《こんじゃくものがたり》』の言《い》う「犬《いぬ》と猿《さる》」とは、何《なん》なのか？

「犬猿《けんえん》の仲《なか》」は日本《にほん》の諺《ことわざ》だから、猿《さる》はニホンザルと断定《だんてい》してよいだろう。日本犬《にほんいぬ》には、雄《おす》の体《たい》重《じゅう》が45kgの秋田犬《あきたいぬ》、15〜20kgの北海道犬《ほっかいどういぬ》、甲斐犬《かいいぬ》、紀州犬《きしゅういぬ》、四国犬《しこくいぬ》、8〜10kgの柴犬《しばいぬ》の6種《しゅ》がある。ただし、秋田犬《あきたいぬ》が生《う》まれたのは明治《めいじ》に入《はい》ってから。すると「犬猿《けんえん》の仲《なか》」の犬《いぬ》とは、中型犬《ちゅうがたけん》や小型犬《こがたけん》を指《さ》していたことになる。お、これは猿《さる》にとって朗報《ろうほう》ではないか。ウッキャッキャッ。

だが、人間《にんげん》とともに暮《く》らしてきた犬《いぬ》が、山《やま》で生《い》きる猿《さる》と遭遇《そうぐう》することがあったのか？　調《しら》べてみると、日本犬《にほんいぬ》はもともと狩猟犬《しゅりょうけん》で、狩《か》りの対象《たいしょう》はヤマドリ、ウサギ、イノシシ、シカ。これらに加《くわ》えて、甲斐犬《かいいぬ》はツキノワグマ、北海道犬《ほっかいどういぬ》はヒグマ！　そして、古《ふる》くはニホンザルも食用《しょくよう》として狩《か》られていたという！　な〜るほど、これでは、仲《なか》が悪《わる》いのも当然《とうぜん》だ。そして、犬《いぬ》と猿《さる》の歴史《れきし》とは、犬《いぬ》の圧倒的《あっとうてき》な勝利《しょうり》の歴史《れきし》だったことになる！

◆どっちも人間《にんげん》よりすごいッス

　だが、犬《いぬ》が猿《さる》を狩《か》る側《がわ》でいられたのは、人間《にんげん》と協力《きょうりょく》していたからかもしれない。１対《たい》１で戦《たたか》っても、犬《いぬ》が勝《か》つのだろうか。勝敗《しょうはい》を左右《さゆう》すると思《おも》われる基本的《きほんてき》な要素《ようそ》を比較《ひかく》してみよう。

　戦《たたか》いでは体重《たいじゅう》がモノをいう。ニホンザルの雄《おす》は好戦的《こうせんてき》で、体重《たいじゅう》は12～15kg。おおっ、中型犬《ちゅうがたけん》は15～20kgだから、その差《さ》は１・３倍《ばい》。これは、犬《いぬ》がぐっと有利《ゆうり》だ。

　運動能力《うんどうのうりょく》はどうだろう。日本犬最速《にほんいぬさいそく》の甲斐犬《かいいぬ》は50ｍを５秒《びょう》で走《はし》るという。ウサイン・ボルトが１００ｍ走《そう》の世界記録《せかいきろく》を立《た》てたとき、50ｍのラップは５秒《びょう》４７だったから、それより速《はや》い！

　ニホンザルの走《はし》る速度《そくど》は不明《ふめい》だが、２００９年《ねん》10月《がつ》、名古屋《なごや》の東山動植物園《ひがしやまどうしょくぶつえん》で、雌《めす》のニホンザルが高《たか》さ６ｍの鉄塔《てっとう》から４・３５ｍ離《はな》れた高《たか》さ４ｍの塀《へい》に飛《と》び移《うつ》り、逃《に》げ出《だ》すという事件《じけん》があった。計算《けいさん》すると、これは立《た》ち幅跳《はばと》びなら４ｍ２㎝を跳《と》べる跳躍力《ちょうやくりょく》だ。立《た》ち幅跳《はばと》びはかつてオリンピック競技《きょうぎ》であり、世界記録《せかいきろく》は３ｍ47㎝。げっ、こちらもヒトの世界記録《せかいきろく》を超《こ》えている。

　厳密《げんみつ》な比較《ひかく》はできていないが、犬《いぬ》と猿《さる》の運動能力《うんどうのうりょく》に、大《おお》きな差《さ》はないと判断《はんだん》していいだろう。

　戦《たたか》いには当然《とうぜん》、知能《ちのう》も必要《ひつよう》だ。犬《いぬ》も相当《そうとう》に賢《かしこ》いが、猿《さる》には勝《か》てない。たとえば「回《まわ》り道実験《みちじっけん》」という有名《ゆうめい》な実験《じっけん》がある。まず、動物《どうぶつ》を鎖《くさり》でつなぎ、その鎖《くさり》を杭《くい》に引《ひ》っかける。そして、鎖《くさり》がピンと張《は》って届《とど》かない位置《いち》に餌《えさ》を置《お》いて、行動《こうどう》を観察《かんさつ》する。

犬《いぬ》はまっすぐ餌《えさ》に近《ちか》づこうとして苦《くる》しむが、猿《さる》は杭《くい》の向《む》こうを回《まわ》って餌《えさ》を手《て》にする。猿《さる》は自分《じぶん》が置《お》かれた状況《じょうきょう》から推論《すいろん》ができるが、犬《いぬ》にはできないということだ。無念《むねん》じゃ〜、わん、わんっ！

◆犬歯《けんし》は「猿歯《えんし》」と呼《よ》ぶべきだ！

結局《けっきょく》、勝敗《しょうはい》を決《き》める要素《ようそ》、「体重《たいじゅう》」「運動能力《うんどうのうりょく》」「知能《ちのう》」は1勝《しょう》1敗《ぱい》1引《ひ》き分《わ》け。ならば、実際《じっさい》に戦《たたか》ったらどうなるのかを考《かんが》えねばなるまい。

犬《いぬ》の攻撃法《こうげきほう》は、言《い》うまでもなく噛《か》みつくことだ。犬《いぬ》は犬歯《けんし》が発達《はったつ》しており、牛《うし》や豚《ぶた》の大腿骨《だいたいこつ》さえ噛《か》み砕《くだ》く！

これに対《たい》して猿《さる》は、せいぜい引《ひ》っ掻《か》くだけ……と思《おも》ったら甘《あま》かった。

ニホンザルも雄《おす》は犬歯《けんし》が非常《ひじょう》に発達《はったつ》しており、雌《めす》や縄張《なわば》りを争《あらそ》って、激《はげ》しく噛《か》み合《あ》うらしい。『サルの社会《しゃかい》とヒトの社会《しゃかい》』(島泰三《しまたいぞう》／大修館書店《たいしゅうかんしょてん》)によれば、雄同士《おすどうし》のケンカで、一方《いっぽう》が他方《たほう》の前肢《まえあし》を噛《か》みちぎった例《れい》があるという！　うひ〜、なんてことするんだ〜。

そこで両者《りょうしゃ》の頭蓋骨《ずがいこつ》の写真《しゃしん》を比《くら》べてみると、ぎょえっ、犬歯《けんし》の大《おお》きさは、猿《さる》が犬《いぬ》を上回《うわまわ》る！

ならば皆《みな》さん、われわれにある犬歯《けんし》＝糸切《いとき》り歯《ば》も、猿歯《えんし》と呼《よ》ぶことにしませんか!?

勝手《かって》に新説《しんせつ》を提唱《ていしょう》している場合《ばあい》ではない。植物《しょくぶつ》と昆虫《こんちゅう》しか食《た》べないニホンザルが、これほど犬《けん》

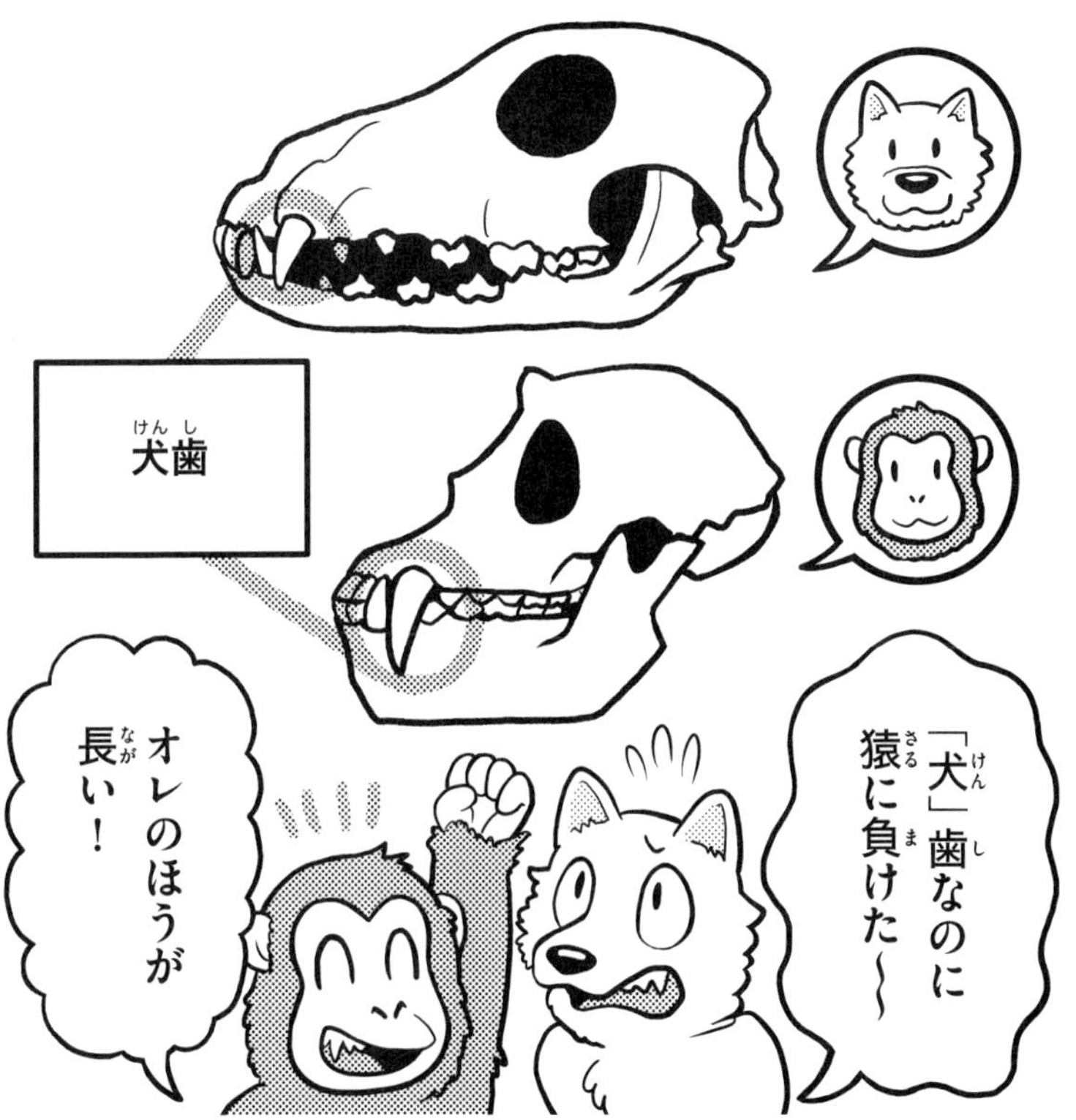

歯《し》を発達《はったつ》させているとは恐《おそ》ろしいことじゃ。犬《いぬ》の犬歯《けんし》は、餌《えさ》を取《と》るためにあるが、ニホンザルの犬歯《けんし》は、純然《じゅんぜん》たる闘争《とうそう》のための武器《ぶき》ということだろう。

結局《けっきょく》、犬《いぬ》と猿《さる》はどっちが強《つよ》いのか。知能《ちのう》や犬歯《けんし》の大《おお》きさでは猿《さる》にも勝機《しょうき》はあるが、体重《たいじゅう》や狩《しゅ》猟《りょう》の歴史《れきし》から考《かんが》えれば、犬《いぬ》が負《ま》けるとは思《おも》えないし……。う〜ん、全然《ぜんぜん》わからん。ここまで実《じつ》力《りょく》が伯仲《はくちゅう》しているとなると、そりゃあ仲《なか》も悪《わる》くなるかもなあ。

とっても気《き》になる特撮《とくさつ》の疑問《ぎもん》

ウルトラマンは裸《はだか》？それとも服《ふく》を着《き》ているのでしょうか？

ウルトラマンは裸《はだか》か？　それとも服《ふく》を着《き》ているのか？

これは、ウルトラマンを初《はじ》めて見《み》て以来《いらい》、筆者《ひっしゃ》がず〜っと頭《あたま》を悩《なや》ませてきた問題《もんだい》だ。彼《かれ》は300万光年《まんこうねん》の彼方《かなた》から来《き》た宇宙人《うちゅうじん》である。人間《にんげん》の宇宙飛行士《うちゅうひこうし》が、厳重《げんじゅう》に身《み》を守《まも》る宇宙服《うちゅうふく》を着《き》ていることを考《かんが》えると、そんなに遠《とお》くから来《き》た知的生命体《ちてきせいめいたい》が素《す》っ裸《ぱだか》で地球《ちきゅう》をウロウロしているという事態《じたい》は、きわめて考《かんが》えづらい。

その一方《いっぽう》で、ウルトラマンはいつ見《み》ても同《おな》じカッコウであり、服《ふく》を着《き》ていると感《かん》じられる場面《ばめん》は一度《いちど》もなかった。あれが本来《ほんらい》の皮膚《ひふ》だといわれれば、そんなふうにも見《み》えてくる。つまり、外《がい》

見《けん》だけでは、さっぱりわからん！

根源的《こんげんてき》に考究《こうきゅう》するために、彼《かれ》と同《おな》じ自然環境《しぜんかんきょう》と文化《ぶんか》で生《い》きている人《ひと》たちについても考《かんが》えよう。ウルトラ6兄弟《きょうだい》、ウルトラの父母《ちちはは》、ウルトラマンキング。この9人《にん》は服《ふく》を着《き》ているのか、それとも裸《はだか》なのか!?　テーマがテーマだけに、包《つつ》み隠《かく》すことなく、赤裸々《せきらら》に研究《けんきゅう》したい。

◆ぬおっ、全裸《ぜんら》にアクセサリー!?

服《ふく》を着《き》るのは、われら人類《じんるい》にとって当《あ》たり前《まえ》のことである。

しかし、地球《ちきゅう》に棲息《せいそく》する動物《どうぶつ》150万種《まんしゅ》のなかで、ナニモノかを身《み》に着《つ》けるのは、ヒトかミノムシかヤドカリくらい。生物《せいぶつ》にとって、身体《からだ》を異物《いぶつ》で覆《おお》うのは、きわめて珍奇《ちんき》な行動《こうどう》なのだ。

そう考《かんが》えると、ウルトラマンが裸《はだか》であっても不思議《ふしぎ》はない。だがその場合《ばあい》、彼《かれ》らは素《す》っ裸《ぱだか》で宇宙《うちゅう》を飛《と》んできて、異星《いせい》の生物《せいぶつ》とはいえ公衆《こうしゅう》の面前《めんぜん》で、全裸《ぜんら》で暴《あば》れ回《まわ》っていることになる。

おまけに、彼《かれ》らのなかには、ナニモノかを身《み》につけている人々《ひとびと》がいる。たとえば、帰《かえ》ってきたウルトラマン（ウルトラマンジャック）と、ウルトラマンタロウは、左《ひだり》の手首《てくび》にブレスレットをつけている。もしウルトラ人《じん》が裸《はだか》だとするならば、この2名《めい》は全裸《ぜんら》に腕輪《うでわ》だけをしていることになる。人間《にんげん》が同《おな》じことをしたら……と想像《そうぞう》すると、これはちょっとキケンなファッションだ。

ウルトラセブンの頭《あたま》のトサカは、アイスラッガーと呼《よ》ばれ、投《な》げれば強力《きょうりょく》な武器《ぶき》になる。取《と》り外《はず》し可能《かのう》ということは、肉体《にくたい》の一部《いちぶ》ではなく、武器《ぶき》なのだろう。すると、素《す》っ裸《ぱだか》で頭《あたま》に包丁《ほうちょう》を載《の》せているも同然《どうぜん》ということ⁉　かなりの勢《いきお》いでアブナいぞ、この男《おとこ》！

ウルトラの母《はは》は、顔《かお》の横《よこ》からお下《さ》げのようなものが伸《の》びている。あれは髪《かみ》ではなく、実《じつ》は勲章《くんしょう》なのである。かつて看護師《かんごし》として平和《へいわ》のために尽《つ》くした功労《こうろう》を讃《たた》えて贈《おく》られたもので、その名《な》を「銀十字勲章《ぎんじゅうじくんしょう》」というのだ。つまり、人妻《ひとづま》でもあるこの看護師《かんごし》さんは、一糸《いっし》まとわぬ裸体《らたい》に勲章《くんしょう》だけをつけて、しゃなりしゃなりと歩《ある》いているわけだ。むお〜ん、筆者《ひっしゃ》はもう、恥《は》ずかしくてウルトラの母《はは》を直視《ちょくし》できません！

極《きわ》めつけは、ウルトラマンキングだ。ウルトラ兄弟《きょうだい》たちの尊敬《そんけい》を集《あつ》めるこの長老《ちょうろう》は、大《おお》きなマントを羽織《はお》っている。そして、ここ一番《いちばん》の場面《ばめん》になると、右手《みぎて》でマントをバッと跳《は》ね上《あ》げる。その下《した》はスッポンポン！　筆者《ひっしゃ》が同《おな》じことをやったら、道行《みちゆ》く人《ひと》から悲鳴《ひめい》が上《あ》がり、たちまち警官《けいかん》がやってきて逮捕《たいほ》されてしまいます〜。

そして、ウルトラマンが裸《はだか》だとすると、避《さ》けて通《とお》れない問題《もんだい》にぶつかる。生殖器《せいしょくき》はどこにあるのだろう⁉　外見《がいけん》から察《さっ》する限《かぎ》り、それらしいモノはまるで見《み》えないのだが……。

大自然《だいしぜん》に学《まな》んでみよう。カクレクマノミは、群《む》れからメスがいなくなると、もっとも大《おお》きなオ

スがメスに変《か》わってしまう。これは条件《じょうけん》が変《か》われば、生殖器《せいしょくき》の形《かたち》や機能《きのう》が変化《へんか》するという例《れい》だ。またカブトムシを初《はじ》めて見《み》た人《ひと》は、あの頑丈《がんじょう》そうな背中《せなか》がパッと割《わ》れて、なかから軟《やわ》らかい翅《はね》が出《で》てこようとは想像《そうぞう》もするまい。生物界《せいぶつかい》はそういう不思議《ふしぎ》に満《み》ちている。

すると、ウルトラの男《おとこ》どもも、そのときが来《く》れば股間《こかん》が左右《さゆう》にパカッと開《ひら》き、中《なか》から重厚長大《じゅうこうちょうだい》な生殖器《せいしょくき》がジュワ〜ッと……。

いや、今《いま》のはナシ！　なかったことにしてください。世《よ》の中《なか》には、想像《そうぞう》してよいことと悪《わる》いことがある。すみませんでしたッ。

◆服《ふく》を着《き》ているとしたら？

こうした問題《もんだい》は、ウルトラマンたちが服《ふく》を着《き》ていると考《かんが》えれば、すべて解決《かいけつ》する。だが、そうすると、困《こま》る人《ひと》が出《で》てくる。ウルトラマンタロウだ。

タロウには、ウルトラダイナマイトという必殺技《ひっさつわざ》がある。全身《ぜんしん》を爆発《ばくはつ》させて怪獣《かいじゅう》を吹《ふ》き飛《と》ばすという乱暴千万《らんぼうせんばん》をするのだが、タロウだけが持《も》っている「ウルトラ心臓《しんぞう》」が全身《ぜんしん》の細胞《さいぼう》を呼《よ》び集《あつ》めるため、何事《なにごと》もなかったかのように復活《ふっかつ》を果《は》たすというオドロキの技《わざ》だ。

ウルトラダイナマイトの使用前後《しようぜんご》で、タロウの姿《すがた》はまったく同《おな》じ。すると、彼《かれ》が服《ふく》を着《き》ているなら、ウルトラ心臓《しんぞう》は服《ふく》の破片《はへん》までも呼《よ》び集《あつ》めたことになる。そこまでのモノは、もはや服《ふく》ではないのでは……？

何《なに》より、服《ふく》を着《き》ているなら、中身《なかみ》はどうなっているのかという問題《もんだい》が浮上《ふじょう》する。ウルトラマンの頭部《とうぶ》と胴体《どうたい》の間《あいだ》に境目《さかいめ》は確認《かくにん》できないから、頭《あたま》までもヘルメットで被《おお》われている可能性《かのうせい》が高《たか》い。それを脱《ぬ》いだときに現《あらわ》れるのは、いったいどんな顔《かお》なのか!?　慣《な》れ親《した》しんだウルトラマンの顔《かお》ではなく、見知《みし》らぬ異生物《いせいぶつ》の頭部《とうぶ》？　ひえ〜っ、それは想像《そうぞう》したくない！

結局《けっきょく》、裸《はだか》であっても、服《ふく》を着《き》ているとしても、どちらも誰《だれ》も嬉《うれ》しくない。さんざん騒《さわ》いでスタートに戻《もど》ってしまったが、こういうときこそ原点《げんてん》に立《た》ち返《かえ》ろう。

あなたは、ウルトラマンの腰《こし》のあたりの赤《あか》い部分《ぶぶん》が「パンツみたいだなあ」と思《おも》ったことはないだろうか。ひょっとして、ウルトラ一族《いちぞく》は、体《からだ》の赤《あか》い部分《ぶぶん》が服《ふく》で、銀色《ぎんいろ》の部分《ぶぶん》が地肌《じはだ》なのではないか⁉

だとすれば、ウルトラマンもセブンも父母《ちちはは》も、股間《こかん》は赤《あか》いパンツで覆《おお》っていることになり、顔《かお》もあれが素顔《すがお》ということになる。非常《ひじょう》にめでたいが、心配《しんぱい》な人々《ひとびと》が約《やく》2名《めい》。ウルトラマンキングとウルトラマンA《エース》だけ、股間《こかん》が銀色《ぎんいろ》なのだ。するとこの両名《りょうめい》だけ、股間《こかん》を堂々《どうどう》と露出《ろしゅつ》している⁉

まあ、9人《にん》もいれば、1人《ひとり》や2人《ふたり》、アバンギャルドなヤツがいるものである。

まことに勝手《かって》ながら、結論《けつろん》が出《で》たと言《い》ってしまいたい。ウルトラ一族《いちぞく》は、パンツ一丁《いっちょう》に近《ちか》い裸《はだか》である。今日《きょう》も裸一貫《はだかいっかん》で宇宙《うちゅう》の平和《へいわ》を守《まも》っているのである。なんと立派《りっぱ》な人々《ひとびと》か。

とっても気《き》になるアニメの疑問《ぎもん》

『戦国《せんごく》ＢＡＳＡＲＡ《バサラ》弐《ツー》』で、豊臣秀吉《とよとみひでよし》はパンチ一発《いっぱつ》で海《うみ》を干上《ひあ》がらせました。そんなのアリ？

『戦国《せんごく》ＢＡＳＡＲＡ《バサラ》』に登場《とうじょう》するのは、実在《じつざい》した戦国武将《せんごくぶしょう》たちである。そんな彼《かれ》らの能力《のうりょく》は、何《なん》十《じゅう》ｍも跳《と》び上《あ》がったり、刀《かたな》の一振《ひとふ》りで10人《にん》を同時《どうじ》に倒《たお》したり、ピストルを発射《はっしゃ》する反作用《はんさよう》で空《そら》を飛《と》んだり、実在《じつざい》する人間《にんげん》には絶対《ぜったい》ムリ！というものばかり。

それが楽《たの》しくて、アニメに熱中《ねっちゅう》しているうちに、筆者《ひっしゃ》はだんだん彼《かれ》らの行為《こうい》が当《あ》たり前《まえ》のように思《おも》えてきた。大丈夫《だいじょうぶ》か、自分《じぶん》!?

そんな『ＢＡＳＡＲＡ《バサラ》』世界《せかい》においても特筆《とくひつ》に価《あたい》するのが、「豊臣秀吉《とよとみひでよし》がパンチ一発《いっぱつ》で海《うみ》を干《ひ》上《あ》がらせた」というエピソードである。本稿《ほんこう》では、この恐《おそ》るべき行為《こうい》について考《かんが》えよう。

◆秀吉《ひでよし》の身長《しんちょう》は3m!?

豊臣秀吉《とよとみひでよし》は1537年《ねん》、尾張《おわり》（現在《げんざい》の名古屋周辺《なごやしゅうへん》）の生《う》まれ。織田信長《おだのぶなが》に仕《つか》えた頃《ころ》から頭角《とうかく》を現《あらわ》して……というのは現実《げんじつ》の話《はなし》だ。この作品《さくひん》における豊臣秀吉《とよとみひでよし》は「裂界武帝《れっかいぶてい》」という別名《べつめい》を持《も》ち、身長《しんちょう》が3mほどもある！

世界征服《せかいせいふく》をも見据《みす》えつつ、天下統一《てんかとういつ》を目指《めざ》す彼《かれ》は、安芸《あき》の毛利元就《もうりもとなり》と組《く》んで、四国《しこく》の長曾我部《ちょうそかべ》元親《もとちか》を攻《せ》めた。元親《もとちか》は巨大戦艦《きょだいせんかん》「富嶽《ふがく》」で迎《むか》え撃《う》つ。その主砲《しゅほう》は口径《こうけい》11尺《しゃく》＝3m30㎝！

――などと軽快《けいかい》に書《か》くと、いかにもこれが史実《しじつ》と思《おも》われそうだが、まったく違《ちが》うのでご注意《ちゅうい》を。実際《じっさい》の秀吉《ひでよし》は小柄《こがら》で「猿《さる》」とあだ名《な》されたし、毛利元就《もうりもとなり》と組《く》んだこともない。長曾我部元親《ちょうそかべもとちか》が秀吉《ひでよし》と対立《たいりつ》していたのは事実《じじつ》だが、3m砲《ほう》の巨大戦艦《きょだいせんかん》なんて持《も》ってなかったし。

しかし、そんな細《こま》かいコトを言《い》い出《だ》したら『戦国《せんごく》BASARA《バサラ》』は楽《たの》しめない。読者《どくしゃ》の皆《みな》さんには、テストで間違《まちが》ったことを書《か》かないように注意《ちゅうい》してもらうとして、その先《さき》を紹介《しょうかい》しよう。

「富嶽《ふがく》」の砲撃《ほうげき》を受《う》けた毛利《もうり》の船《ふね》はひとたまりもなく、次々《つぎつぎ》と撃破《げきは》される。ここで登場《とうじょう》、豊臣秀吉《とよとみひでよし》。何《なに》をするかと思《おも》いきや、海《うみ》に入《はい》って拳《こぶし》を振《ふ》り上《あ》げ、パンチを一撃《いちげき》！　すると、海面《かいめん》が裂《さ》けて巨大《きょだい》な水《みず》しぶきが上《あ》がり、海底《かいてい》が露出《ろしゅつ》する。そして陸地《りくち》も同然《どうぜん》となった海底《かいてい》を、豊臣《とよとみ》・毛利《もうり》の大軍《たいぐん》が進撃《しんげき》していくのだった。

この様子《ようす》を目撃《もくげき》して驚《おどろ》く真田幸村《さなだゆきむら》に、配下《はいか》の猿飛佐助《さるとびさすけ》は言《い》う。「豊臣秀吉《とよとみひでよし》が拳一《こぶしひと》つで干上《ひあ》がらせちまったのさ」。おいっ、「干上《ひあ》がらせちまった」などとアキれ気味《ぎみ》に説明《せつめい》している場合《ばあい》なのか。瀬戸内海《せとないかい》がなくなっちゃったんだから、もっとビックリしていただきたい!

◆海《うみ》の水《みず》はどこへ消《き》えた?

路上《ろじょう》の水《みず》たまりをバシャッと手《て》で叩《たた》けば、水《みず》しぶきが上《あ》がり、底《そこ》が露出《ろしゅつ》するだろう。だがそれは一瞬《いっしゅん》のことで、水《みず》はすぐに戻《もど》ってきて、水《みず》たまりはやがて元《もと》どおりになる。パンチと水《みず》たまりの関係《かんけい》とはそういうものである、普通《ふつう》は。

ところが、秀吉《ひでよし》がぶっ叩《たた》いた瀬戸内海《せとないかい》は、海底《かいてい》が露出《ろしゅつ》したまま陸地《りくち》と化《か》した。海水《かいすい》はどこに行《い》ったのだろうか。

佐助《さすけ》は「干上《ひあ》がらせた」と説明《せつめい》していたが、池《いけ》などが「干上《ひあ》がる」とは、一般《いっぱん》に水《みず》が蒸発《じょうはつ》することをいう。普通《ふつう》それには大変《たいへん》な時間《じかん》がかかるが、この場合《ばあい》は一瞬《いっしゅん》で蒸発《じょうはつ》したと考《かんが》えるしかないだろう。

これは大変《たいへん》な話《はなし》だ。パンチを打《う》って水《みず》を蒸発《じょうはつ》させられるとしたら、パンチの運動《うんどう》エネルギーが熱《ねっ》に変《か》わった場合《ばあい》である。たとえば、金槌《かなづち》で釘《くぎ》を叩《たた》くと、金槌《かなづち》も釘《くぎ》も熱《あっ》くなる。これと同《おな》じ原理《げんり》で、パンチによって発生《はっせい》した熱《ねつ》が、海水《かいすい》を蒸発《じょうはつ》させた……ということだろうか。

水《みず》を蒸発《じょうはつ》させるには、莫大《ばくだい》なエネルギーが必要《ひつよう》だ。

たとえば1tの乗用車《じょうようしゃ》が高度《こうど》100mから落《お》ちてきたとき、そのエネルギーで蒸発《じょうはつ》する水《みず》は、わずかコップ2杯分《はいぶん》！　すると、瀬戸内海《せとないかい》を干上《ひあ》がらせた秀吉《ひでよし》のパンチは、どれほどのエネルギーを持《も》っていたことになるのだろう。

瀬戸内海《せとないかい》は面積《めんせき》2万《まん》km²、平均水深《へいきんすいしん》31m。ここから計算《けいさん》すると、湛《たた》える海水《かいすい》は6400億《おく》tほどだろう。そのうち200億《おく》tが塩《しお》で、6200億《おく》tが水《みず》。海水《かいすい》の温度《おんど》を15℃とすれば、これだけの水《みず》を蒸発《じょうはつ》させる熱《ねつ》とは石油《せきゆ》360億《おく》t分《ぶん》。運動《うんどう》エネルギーに換算《かんさん》すると、ぎょぎょっ。直径《ちょっけい》1・3kmという山《やま》のような小惑星《しょうわくせい》が激突《げきとつ》したのと同《おな》じ！　舞《ま》い上《あ》がる粉塵《ふんじん》が太陽光線《たいようこうせん》を遮《さえぎ》り、地《ち》球《きゅう》は滅亡《めつぼう》の危機《きき》に瀕《ひん》しても不思議《ふしぎ》ではない。秀吉《ひでよし》のパンチは、そんなレベルだったのだ！

◆天下統一《てんかとういつ》か、天下滅亡《てんかめつぼう》か

ガクガクブルブル。とんでもない話《はなし》になってきたが、その後《ご》、瀬戸内海《せとないかい》はどうなるのだろう？

秀吉《ひでよし》のパンチが打《う》ち込《こ》まれ、海水《かいすい》が蒸発《じょうはつ》したということは、あとに塩《しお》が残《のこ》ったはずだ。その塩《しお》の厚《あつ》さはなんと1mにもなるので、瀬戸内海名産《せとないかいめいさん》のカタクチイワシ、アナゴ、アサリなど400

種《しゅ》の魚介類《ぎょかいるい》が塩漬《しおづ》けになったのは間違《まちが》いない。ふーむ、それは意外《いがい》においしいかも。特《とく》に、筆者《ひっしゃ》のようなお酒好《さけず》きにとっては最高《さいこう》の肴《さかな》になると思《おも》われ……。

などと唾液《だえき》をあふれさせている場合《ばあい》ではない。蒸発《じょうはつ》した水《みず》は、いつか雨《あめ》となって降《ふ》ってくる！　6200億《おく》tの雨《あめ》が瀬戸内地方《せとうちちほう》に降《ふ》ったとすると、降雨量《こううりょう》は1万《まん》5千《せん》㎜。年間降水量《ねんかんこうすいりょう》の10倍《ばい》であり、人《ひと》も家《いえ》も田畑《たはた》も流《なが》され、せっかく征服《せいふく》した四国《しこく》は無人《むじん》の荒野《こうや》に……。

それだけではない。秀吉《ひでよし》のパンチのエネルギーは、最終的《さいしゅうてき》に熱《ねつ》に変《か》わる。また、長距離《ちょうきょり》を走《はし》れば体《からだ》が熱《あつ》くなるように、パンチを打《う》った秀吉《ひでよし》の体《からだ》も熱《あつ》くなる。これらの熱《ねつ》の総量《そうりょう》は、筆者《ひっしゃ》の計算《けいさん》によれば、石油《せきゆ》1580億《おく》t分《ぶん》。これは世界《せかい》で消費《しょうひ》されるエネルギーの15年分《ねんぶん》だ！

これほどのエネルギーが放出《ほうしゅつ》されようものなら、全世界《ぜんせかい》の気温《きおん》は1・4℃上昇《じょうしょう》する。戦国時代《せんごくじだい》に、秀吉《ひでよし》はたった1人《ひとり》で地球温暖化《ちきゅうおんだんか》を起《お》こしていたわけだ。

だが、そうなるのはパンチを放《はな》ってから何年《なんねん》も先《さき》の話《はなし》である。熱《ねつ》は、瀬戸内海《せとないかい》を中心《ちゅうしん》に徐々《じょじょ》に広《ひろ》がっていくからだ。

その熱《ねつ》が、瀬戸内地方《せとうちちほう》を覆《おお》う半径《はんけい》250㎞に広《ひろ》がったとき、あたりの平均気温《へいきんきおん》は3600℃上昇《じょうしょう》！　敵《てき》も味方《みかた》も全滅《ぜんめつ》するどころか、中国四国地方《ちゅうごくしこくちほう》の陸地《りくち》は溶融《ようゆう》するだろう。その後《ご》、熱《ねつ》が日本《にほん》全土《ぜんど》に広《ひろ》がった段階《だんかい》でも、気温《きおん》は160℃も上昇《じょうしょう》。全国津々浦々《ぜんこくつつうらうら》、蒸《む》し焼《や》き地獄《じごく》である。

やがて、遠《とお》く離《はな》れたヨーロッパの人々《ひとびと》も「なんだか最近《さいきん》、暖《あたた》かいなあ」「どうもジパングに近《ちか》づくほど暑《あつ》いらしいぞ」と噂《うわさ》することになるだろう。そこで船乗《ふなの》りたちが行《い》ってみたら、黄《おう》金《ごん》の国《くに》は滅《ほろ》びていて、恐《おそ》ろしげな巨漢《きょかん》が1人《ひとり》立《た》っていた……などという悲劇《ひげき》も考《かん》えられる。

瀬戸内海《せとないかい》を干上《ひあ》がらせるパンチとは、これほど恐《おそ》ろしい。日《に》本《ほん》を統一《とういつ》しようとして日本《にほん》を滅《ほろ》ぼすのだから、本末転倒《ほんまつてんとう》にもホドがある。このワザ、秀吉《ひでよし》には絶対《ぜったい》に封印《ふういん》していただきたい。

とっても気《き》になるマンガの疑問《ぎもん》

『BLEACH《ブリーチ》』の斬魄刀《ざんぱくとう》『侘助《わびすけ》』は、斬《き》れば斬《き》るほど相手《あいて》の刀《かたな》を重《おも》くします。どういうことですか？

『BLEACH《ブリーチ》』に登場《とうじょう》する死神《しにがみ》たちは、それぞれ「斬魄刀《ざんぱくとう》」という刀《かたな》を持《も》っている。

斬魄刀《ざんぱくとう》は本来《ほんらい》、善良《ぜんりょう》な魂《たましい》を「尸魂界《ソウル・ソサエティ》」と呼《よ》ばれるあの世《よ》へ送《おく》ったり、悪霊《あくりょう》と化《か》した魂《たましい》を昇華《しょうか》・滅却《めっきゃく》したりするための道具《どうぐ》だが、戦《たたか》いにも使《つか》われる。それぞれに銘《めい》(特定《とくてい》の名前《なまえ》)があり、千本《せんぼん》の刃《は》に分《わ》かれて蜂《はち》の群《む》れのように襲《おそ》ったり、空気中《くうきちゅう》の水蒸気《すいじょうき》を巨大《きょだい》な氷《こおり》の塊《かたまり》に変《か》えたりするなど、さまざまな能力《のうりょく》を持《も》つ。

なかでも筆者《ひっしゃ》が注目《ちゅうもく》したいのは、護廷十三隊《ごていじゅうさんたい》三番隊《さんばんたい》・吉良《きら》イヅル副隊長《ふくたいちょう》の斬魄刀《ざんぱくとう》『侘助《わびすけ》』だ。

その能力《のうりょく》は、斬《き》りつけた物《もの》の重《おも》さを倍《ばい》にすること。二度《にど》斬《き》ればさらに倍《ばい》、三度《さんど》斬《き》ればそのまた倍《ばい》

になる。このため、吉良副隊長《きらふくたいちょう》と刀《かたな》を打《う》ち合《あ》わせた者《もの》は、自分《じぶん》の刀《かたな》の重《おも》さに耐《た》えかねて地《ち》に這《は》いつくばり、侘《わ》びるように頭《あたま》を差《さ》し出《だ》す。ゆえに『侘助《わびすけ》』なのだという。すごい刀《かたな》だ！

持《も》ち主《ぬし》の吉良副隊長《きらふくたいちょう》は地味《じみ》なヒトで、物語《ものがたり》に大《おお》きな影響《えいきょう》を与《あた》えるほど活躍《かつやく》したわけではない。

だが、科学的《かがくてき》に考《かんが》えるなら、数《かず》ある斬魄刀《ざんぱくとう》のなかでもこれが最強《さいきょう》と思《おも》うのだが……。

◆1ヵ月後《げつご》のお小遣《こづか》いが5億円《おくえん》！

『侘助《わびすけ》』の能力《のうりょく》が発揮《はっき》されたのは、十番隊《じゅうばんたい》の副隊長《ふくたいちょう》・松本乱菊《まつもとらんぎく》との戦《たたか》いだった。激《はげ》しく刀《かたな》を打《う》ち合《あ》わせた吉良副隊長《きらふくたいちょう》は、戦《たたか》いの最中《さなか》にこう尋《たず》ねる。「……今《いま》 何回受《なんかいう》けました？ 僕《ぼく》の剣《けん》」。

気《き》づくと乱菊《らんぎく》の斬魄刀《ざんぱくとう》『灰猫《はいねこ》』はズンと重《おも》くなっており、乱菊《らんぎく》は思《おも》わず切《き》っ先《さき》を、戦《たたか》いの場《ば》だった屋根《やね》に落《お》としてしまう。吉良副隊長《きらふくたいちょう》は『侘助《わびすけ》』の能力《のうりょく》を説明《せつめい》し、計算《けいさん》してみせる。

「貴女《あなた》は今《いま》 七度侘助《ななどわびすけ》の斬撃《ざんげき》を刀《かたな》で受《う》けた その刀《かたな》の本来《ほんらい》の重《おも》さが0・8kgとして 二《に》の七乗倍《ななじょうばい》すると102・4kg 抱《かか》えて走《はし》れる重《おも》さじゃあ無《な》い」。

「2の7乗倍《じょうばい》」とは、2倍《ばい》を7回繰《かいく》り返《かえ》すことだ。本来《ほんらい》の重《おも》さが0・8kgの場合《ばあい》、2倍《ばい》になると1・6kg。これの2倍《ばい》は3・2kg。さらに2倍《ばい》で6・4kg。それ以降《いこう》は12・8kg↓25・6kg↓51・2kg↓102・4kgと増《ふ》えていったわけである。

この「2倍《ばい》の繰《く》り返《かえ》し」は、恐《おそ》ろしい結果《けっか》を招《まね》く。たとえば、あなたがお母《かあ》さんにこんなお願《ねが》いをしたとしよう。

「お小遣《こづか》いを今日《きょう》は1円《えん》、明日《あした》は2円《えん》、明後日《あさって》は4円《えん》と、毎日《まいにち》2倍《ばい》に増《ふ》やしてください」

これが了承《りょうしょう》された場合《ばあい》、30日目《にちめ》の金額《きんがく》は、なんと5億《おく》3687万円《まんえん》！　うひょ〜っ、子《こ》どもは嬉《うれ》しいけど、親《おや》は破産《はさん》だ！

同《おな》じように、紙《かみ》を1回折《かいお》ると厚《あつ》さは2倍《ばい》になる。2回折《かいお》れば4倍《ばい》、3回折《かいお》れば8倍《ばい》だ。厚《あつ》さ0・1㎜のコピー用紙《ようし》を26回折《かいお》ると、その厚《あつ》さは富士山《ふじさん》より高《たか》くなる！

2倍《ばい》、2倍《ばい》……を繰《く》り返《かえ》すとは、これほど凄《すさ》まじいことなのだ。もし、乱菊《らんぎく》が『侘助《わびすけ》』の斬撃《ざんげき》を刀《かたな》で24回受《かいう》けていたら、乱菊《らんぎく》の刀《かたな》の重《おも》さは1万《まん》tを超《こ》えていた……！

◆相手《あいて》の威力《いりょく》も増《ま》してしまう

『侘助《わびすけ》』について考《かんが》えると、いろいろと恐《おそ》ろしい想像《そうぞう》が頭《あたま》に浮《う》かぶ。

「斬《き》りつけた物《もの》の重《おも》さを倍《ばい》にする」という能力《のうりょく》は、その相手《あいて》が斬魄刀《ざんぱくとう》でなくても発揮《はっき》されるのだろう。すると、もし『侘助《わびすけ》』が乱菊《らんぎく》の体《からだ》をかすりでもしたら、彼女《かのじょ》はどうなるのか？

当然《とうぜん》、体重《たいじゅう》が2倍《ばい》になるはずである。グラマーな乱菊《らんぎく》は体重《たいじゅう》57㎏だが、かすっただけで114

kg！　もうひとかすりで228kg！　ケガはするし、太《ふと》ってしまうし、乱菊《らんぎく》はモノスゴク怒《いか》り狂《くる》うのではないか。

考《かんが》えてみたら、吉良副隊長自身《きらふくたいちょうじしん》も、注意《ちゅうい》が必要《ひつよう》だ。

1回打《かいう》ち合《あ》わせたら『灰猫《はいねこ》』の重《おも》さは2倍《ばい》になった。これは『灰猫《はいねこ》』にとって、朗報《ろうほう》ともいえる。竹《たけ》の棒《ぼう》で叩《たた》くより、バットで殴《なぐ》ったほうが威力《いりょく》があるように、刀《かたな》が重《おも》くなるとそれだけ衝撃《しょうげき》も大《おお》きくなる。もちろん、重《おも》くなりすぎるとスピードが落《お》ちたり持《も》てなくなったりするが、初《はじ》めのうちは『灰猫《はいねこ》』の打突《だとつ》はパワーアップしていったはずだ。つまり、『侘助《わびすけ》』には、相手《あいて》の斬魄《ざんぱく》刀《とう》の力《ちから》を増強《ぞうきょう》する側面《そくめん》もあることになる。吉良副隊長《きらふくたいちょう》がそれに打《う》ち負《ま》けて、刀《かたな》を落《お》としたりしたら、たちまちメッタ斬《ぎ》りにされるだろう。

『灰猫《はいねこ》』が102・4kgになるまで戦《たたか》い続《つづ》けた乱菊《らんぎく》も怪力《かいりき》だが、だんだん強《つよ》くなる『灰猫《はいねこ》』の打《だ》突《とつ》にすべて耐《た》え抜《ぬ》いた吉良副隊長《きらふくたいちょう》も侮《あなど》れない強者《つわもの》。やっぱりこの人《ひと》、もっと活躍《かつやく》しても不思議《ふしぎ》じゃなかったのになあ。

◆地面《じめん》を叩《たた》くと、地球《ちきゅう》が滅亡《めつぼう》！

登場人物《とうじょうじんぶつ》の役割《やくわり》にケチをつけている場合《ばあい》ではない。筆者《ひっしゃ》が想像《そうぞう》する『侘助《わびすけ》』最大《さいだい》の問題点《もんだいてん》は、もし上段《じょうだん》からの打《う》ち込《こ》みをかわされて、この斬魄刀《ざんぱくとう》で地面《じめん》を叩《たた》いてしまったらどうなるのか？ということだ。

当然《とうぜん》、地球《ちきゅう》の重《おも》さは2倍《ばい》になるだろう。星《ほし》の重力《じゅうりょく》はその重《おも》さによって決《き》まるから、重《おも》さが2倍《ばい》になれば、重力《じゅうりょく》の強《つよ》さも2倍《ばい》になる！

これはもう、世界中《せかいじゅう》が大騒《おおさわ》ぎになるだろう。なにしろ、あらゆる物《もの》の重《おも》さが突然《とつぜん》2倍《ばい》になるのだから。

体重《たいじゅう》40kgの人《ひと》は、倍《ばい》の80kgになってしまい、ガクリと膝《ひざ》をついて倒《たお》れ伏《ふ》す。500gのペットボトルは急《きゅう》に1kgになるから、手《て》に持《も》っていた人《ひと》は驚《おどろ》く間《ま》もなく落《お》としてしまうだろう。強度《きょうど》の不充分《ふじゅうぶん》な建造物《けんぞうぶつ》は倒壊《とうかい》し、木《き》の枝《えだ》はググッとしなって桜《さくら》も紅葉《もみじ》も散《ち》り果《は》てる。海《うみ》の水圧《すいあつ》も2倍《ばい》になって魚《さかな》が圧死《あっし》、鳥《とり》も飛行機《ひこうき》も人工衛星《じんこうえいせい》も落《お》ちてくる！

月《つき》は、どうなるのだろう？　計算《けいさん》してみると……うわっ、やっぱり落《お》ちてくる！　3日《か》と10時《じ》間後《かんご》、マッハ46で地球《ちきゅう》に衝突《しょうとつ》。地球《ちきゅう》は割《わ》れ砕《くだ》け、破片《はへん》はドロドロのマグマとなり、たぶん尸魂界《ソウル・ソサエティ》も滅亡《めつぼう》だあ！

これほど恐《おそ》ろしい刀《かたな》を、吉良副隊長《きらふくたいちょう》のような地味《じみ》な人《ひと》に持《も》たせておいていいのだろうか。「ああ、今日《きょう》も出番《でばん》ねえな～」などと退屈《たいくつ》に侘《わ》びつつ『侘助《わびすけ》』で地面《じめん》をコンコン叩《たた》いたら、それだけ

で地球《ちきゅう》46億年《おくねん》の歴史《れきし》が終《お》わってしまう……。いくらお詫《わ》びしても償《つぐな》えないぞ。

そう考《かんが》えると、『BLEACH《ブリーチ》』において、彼《かれ》があまり活躍《かつやく》しなかったのは、いいことなのかもしれません。戦《たたか》いの最前線《さいぜんせん》で、この危険《きけん》な刀《かたな》をブンブン振《ふ》り回《まわ》し始《はじ》めたら、他《ほか》の死神《しにがみ》たちが血《ち》と汗《あせ》で紡《つむ》ぎ上《あ》げてきたストーリーが、「地球《ちきゅう》が滅《ほろ》びたので、はい終《お》わり」。これじゃあ、あんまりだからね。

とっても気《き》になる特撮《とくさつ》の疑問《ぎもん》

マグマ大使《たいし》を呼《よ》ぶ方法《ほうほう》は「笛《ふえ》」です。効果的《こうかてき》な連絡手段《れんらくしゅだん》でしょうか？

『マグマ大使《たいし》』は、特撮《とくさつ》ドラマ史上《しじょう》に残《のこ》る偉大《いだい》な番組《ばんぐみ》である。

原作《げんさく》は、手塚治虫《てづかおさむ》先生《せんせい》で、放送開始《ほうそうかいし》はあの『ウルトラマン』より半月早《はんつきはや》い。巨大《きょだい》ヒーロー番組《ばんぐみ》の第《だい》1号《ごう》は、『ウルトラマン』と思《おも》われがちだが、実《じつ》は『マグマ大使《たいし》』なのだ。

この番組《ばんぐみ》を放送《ほうそう》していた頃《ころ》、筆者《ひっしゃ》はまだ保育園《ほいくえん》に通《かよ》っていたが、モノスゴク憧《あこが》れた。なぜなら、主人公《しゅじんこう》のマモルくんが、マグマ大使《たいし》を呼《よ》ぶための笛《ふえ》を持《も》っていたからだ。ウルトラマンも心強《こころづよ》い正義《せいぎ》の味方《みかた》だが、自分《じぶん》がピンチになったときに駆《か》けつけてくれるとは限《かぎ》らない。だが、マモルくんの場合《ばあい》は、笛《ふえ》さえ吹《ふ》けば、強《つよ》いヒーローが飛《と》んできてくれるのだ！

ああ、マグマ大使《たいし》が自分《じぶん》にも笛《ふえ》をくれないかなあ……と遠《とお》い空《そら》を見上《みあ》げながらも、ちょっと気《き》になった。それは、呼《よ》び出《だ》すための道具《どうぐ》が笛《ふえ》ということだ。緊急事態《きんきゅうじたい》に「音《おと》」でヒーローを呼《よ》ぶのは、どこまで現実的《げんじつてき》なのか。本稿《ほんこう》では、この問題《もんだい》を考《かんが》えてみよう。

◆その家庭《かてい》に団欒《だんらん》なし！

マグマ大使《たいし》とは、地球《ちきゅう》を作《つく》ったアース様《さま》が、悪《あく》の帝王《ていおう》ゴアと戦《たたか》うために産《う》み出《だ》したロケット人間《にんげん》だ。身長《しんちょう》7m、体重《たいじゅう》10tで、普段《ふだん》は金色《きんいろ》の人間《にんげん》の姿《すがた》をしているが、ロケットに変形《へんけい》してマッハ10で空《そら》を飛《と》ぶ。モルという奥《おく》さんと、ガムという子《こ》どもがいて、この2人《ふたり》は人間《にんげん》サイズだが、やはりロケットに変身《へんしん》できる。

このマグマ大使一家《たいしいっか》を、マモルくんはいつでも呼《よ》び出《だ》すことができるのだ。笛《ふえ》を「ピロピロピ〜」と1回《かい》だけ吹《ふ》くと、ガムがやってくる。「ピロピロピ〜、ピロピロピ〜」と2回《かい》吹《ふ》くと、モルがやってくる。そして「ピロピロピ〜、ピロピロピ〜、ピロピロピ〜」と3回《かい》吹《ふ》くと、マグマ大使本人《たいしほんにん》がやってくる！

誰《だれ》に来《き》てほしいのかを、笛《ふえ》を吹《ふ》く回数《かいすう》で知《し》らせるわけで、非常《ひじょう》にわかりやすいシステムだ。しかし、あまりにもシンプルすぎないだろうか。

マグマ一家《いっか》は、海上《かいじょう》にそびえる火山島《かざんとう》に住《す》んでいる。ここへマモルくんの笛《ふえ》の音《おと》が届《とど》いたら、どうなるか。ちょっと想像《そうぞう》してみよう。

「ピロピロピ〜」と1回目《かいめ》の笛《ふえ》が鳴《な》ると、家族《かぞく》のあいだに緊張《きんちょう》が走《はし》る。この時点《じてん》では、誰《だれ》が呼《よ》ばれているのかわからないからだ。

2回目《かいめ》の「ピロピロピ〜」が鳴《な》ると、ガムは自分《じぶん》が呼《よ》ばれているのではないと知《し》って、ホッと胸《むね》を撫《な》で下《お》ろすが、夫婦《ふうふ》の緊張《きんちょう》はまだ解《と》けない。さらに3回目《かいめ》の「ピロピロピ〜」が続《つづ》くと、妻《つま》はソファに腰《こし》を下《お》ろし、夫《おっと》はイソイソと支度《したく》にかかる……。

笛《ふえ》が鳴《な》るたびに、マグマ大使《たいし》の家庭《かてい》では、このようなシーンが繰《く》り返《かえ》されてきたに違《ちが》いない。一家《いっか》の団欒《だんらん》をブチ壊《こわ》す笛《ふえ》の音《おと》ですなあ。

さらに問題《もんだい》なのは、笛《ふえ》の音《おと》が重《かさ》なるごとに、より強《つよ》い人《ひと》が必要《ひつよう》とされていることが明《あき》らかになっていく点《てん》だ。それは、深刻《しんこく》な事態《じたい》が起《お》きていることの証《あかし》。宝《たから》くじの当選発表《とうせんはっぴょう》じゃないんだから、徐々《じょじょ》に盛《も》り上《あ》げていってどーすんだ!? 筆者《ひっしゃ》としては、笛《ふえ》の回数《かいすう》で呼《よ》びたい人《ひと》を変《か》えるのではなく、音色《ねいろ》で知《し》らせるほうがいいと思《おも》う。たとえば、ガムを呼《よ》ぶときは「ピーじョロロ〜」、マグマ大使《たいし》を呼《よ》ぶときには「ビビビビ!」というふうに。

◆なかなか来《き》てくれない！

呼《よ》び出《だ》し方法《ほうほう》も気《き》になるが、そもそも音《おと》で救援《きゅうえん》を要請《ようせい》するというシステムはどうなのか。

地震《じしん》や台風《たいふう》で家《いえ》が倒《たお》れ、下敷《したじ》きになった場合《ばあい》などは、笛《ふえ》で助《たす》けを呼《よ》ぶのが効果的《こうかてき》だといわれている。だが、それは救援隊《きゅうえんたい》や近所《きんじょ》の人《ひと》が近《ちか》くにいるからこそ。

前述《ぜんじゅつ》のとおり、マグマ一家《いっか》は海《うみ》にそびえる火山島《かざんとう》に住《す》んでいる。マモルくんが、悪《あく》の帝王《ていおう》ゴアが操《あやつ》る怪獣《かいじゅう》に襲《おそ》われるなどピンチになるのは、火山島《かざんとう》から離《はな》れた場所《ばしょ》がほとんどだろう。

そうなると、音《おと》の性質《せいしつ》が問題《もんだい》になってくる。音《おと》が届《とど》くには、時間《じかん》がかかるのだ！

音《おと》が空気中《くうきちゅう》を伝《つた》わる速《はや》さは、気温《きおん》15℃のとき秒速《びょうそく》３４１ｍ。秒速《びょうそく》30万《まん》㎞の電波《でんぱ》に比《くら》べると、とっても遅《おそ》い。たとえば１００㎞離《はな》れた地点《ちてん》に情報《じょうほう》を伝《つた》えたいとき、光《ひかり》なら０・０００３３秒《びょう》で伝《つた》わるが、音《おと》だと４分《ぷん》54秒《びょう》もかかってしまう。

この問題《もんだい》に、マグマ大使《たいし》はどう対処《たいしょ》しているのだろうか。

ある回《かい》の映像《えいぞう》を確認《かくにん》すると、マモルくんが笛《ふえ》を吹《ふ》いてから、マグマ大使《たいし》が火山島《かざんとう》の火口《かこう》から飛《と》び出《だ》すまで１秒《びょう》９２だった。早《はや》い！

この１秒《びょう》９２のあいだに笛《ふえ》の音《おと》が伝《つた》わったとすれば、マモルくんは火山島《かざんとう》から６５０ｍという近《ちか》い場所《ばしょ》にいたことになる。

ところが、その後《ご》のシーンを見《み》ていると、この至近距離《しきんきょり》の現場《げんば》にマグマ大使《たいし》はなかなか着《つ》かない。10秒《びょう》、20秒《びょう》、30秒《びょう》……と飛《と》び続《つづ》け、１分《ぷん》８秒《びょう》が経《た》ったところで「来週《らいしゅう》へ続《つづ》く」。

なんなんだ、この不可解《ふかかい》な現象《げんしょう》は⁉　マグマ大使《たいし》の飛行速度《ひこうそくど》は、最初《さいしょ》に書《か》いたとおりマッハ10。これは音《おと》の速《はや》さの10倍《ばい》という意味《いみ》だから、１秒《びょう》９２で笛《ふえ》の音《おと》が届《とど》くところから出発《しゅっぱつ》したのなら、０・１９２秒《びょう》で来《き》てくれんと困《こま》るのだ。

マッハ10で１分《ぷん》８秒《びょう》も飛《と》び続《つづ》けると、２３０㎞も移動《いどう》できる。これは、東京《とうきょう》から新潟《にいがた》ぐらいまでの距離《きょり》だ。たった650m離《はな》れた場所《ばしょ》に行《い》くのに、これほどの距離《きょり》を飛《と》び回《まわ》ったということは、マグマ大使《たいし》はものすごく方向音痴《ほうこうおんち》なのか!?

もちろん、テレビの演出《えんしゅつ》の都合《つごう》で、笛《ふえ》の音《おと》が届《とど》くまでのシーンがカットされて1秒《びょう》92になった可能性《かのうせい》もあるだろう。その場合《ばあい》、マグマ大使《たいし》の飛行時間《ひこうじかん》1分《ぷん》8秒《びょう》が正《ただ》しいとするなら、マモルくんのいる現場《げんば》は火山島《かざんとう》から230km離《はな》れていて、笛《ふえ》の音《おと》が届《とど》くまで実際《じっさい》には1分《ぷん》8秒《びょう》の10倍《ばい》の11分《ぷん》20秒《びょう》もかかったことになる!

これは大変《たいへん》だ。マグマ大使《たいし》の飛行時間《ひこうじかん》と合《あ》わせると、マモルくんが笛《ふえ》を吹《ふ》いてから、マグマ大《たい》使《し》が駆《か》けつけるまでの時間《じかん》は、実《じつ》に12分《ふん》28秒《びょう》。この間《かん》、マモルくんのもとには誰《だれ》も来《き》てくれない。マモルくんは、どんなに恐《おそ》ろしい怪獣《かいじゅう》に襲《おそ》われようと、自力《じりき》でピンチを切《き》り抜《ぬ》けなければならないのだ。

絶体絶命《ぜったいぜつめい》の状況下《じょうきょうか》、あるいは怪獣《かいじゅう》にやられてしまって意識《いしき》が遠《とお》のくなか、マモルくんはこう思《おも》ったのではないか。「こんな笛《ふえ》、もらわなきゃよかった……」。

とっても気《き》になる特撮《とくさつ》の疑問《ぎもん》

怪獣図鑑《かいじゅうずかん》には、怪獣《かいじゅう》や怪人《かいじん》の「弱点《じゃくてん》」が書《か》かれていたそうですが、それはどんなものですか？

特撮番組《とくさつばんぐみ》のヒーローには得意技《とくいわざ》があった。たとえばウルトラマンはスペシウム光線《こうせん》、仮面《かめん》ライダーはライダーキックで、多《おお》くの敵《てき》を葬《ほうむ》ってきた。その結果《けっか》、地球《ちきゅう》の平和《へいわ》が守《まも》られてきたのだから文句《もんく》はないのだが、筆者《ひっしゃ》には不思議《ふしぎ》で仕方《しかた》なかったことがある。

怪獣《かいじゅう》や怪人《かいじん》にはたいてい、明確《めいかく》な「弱点《じゃくてん》」があったのだ。それは怪獣図鑑《かいじゅうずかん》などにハッキリ書《か》いてあって、たとえば怪獣《かいじゅう》ゲゾラの項《こう》には「水《みず》に強《つよ》いが、火《ひ》に弱《よわ》い」、怪人《かいじん》トカゲロンの項《こう》には「寒《さむ》さに弱《よわ》い」という調子《ちょうし》。昆虫図鑑《こんちゅうずかん》や動物図鑑《どうぶつずかん》には決《けっ》して見《み》られない、怪獣図鑑《かいじゅうずかん》の一大特色《いちだいとくしょく》だった。ヒーローの皆《みな》さんはこれを活《い》かし、相手《あいて》の弱点《じゃくてん》を攻《せ》めてもよかったんじゃないかなあ。

では、怪獣《かいじゅう》や怪人《かいじん》は具体的《ぐたいてき》にどんな弱点《じゃくてん》を持《も》っていたのか？　手元《てもと》にある数種類《すうしゅるい》の怪獣図鑑《かいじゅうずかん》を調《しら》べてみたところ、抱腹絶倒《ほうふくぜっとう》の弱点《じゃくてん》がいっぱい見《み》つかったので、ドドドッと伝《つた》えたい。

◆侵略者《しんりゃくしゃ》の資格《しかく》ナシ！

一見《いっけん》もっともらしいが、科学的《かがくてき》に考《かんが》えると怪《あや》しい弱点《じゃくてん》から紹介《しょうかい》しよう。

地底怪人《ちていかいじん》モグラングは「ひかりに弱《よわ》い」。また、怪獣《かいじゅう》テレスドンを操《あやつ》った地底人《ちていじん》は「目《め》が退化《たいか》しているので太陽光線《たいようこうせん》に弱《よわ》い」。

どちらも地中《ちちゅう》で暮《く》らしてきた生物《せいぶつ》だから、ついナットクしそうになる。ところが『トンネルネットワーク　おもしろモグラ学《がく》』（手塚甫《てづかはじめ》／北隆館《ほくりゅうかん》）によれば、モグラに１００Ｗ《ワット》の電灯《でんとう》を近《ちか》づけても、まったく無反応《むはんのう》だったという。目《め》が退化《たいか》しているため、光《ひかり》に鈍感《どんかん》なのだ。著者《ちょしゃ》は「モグラが太陽《たいよう》に当《あ》たると死《し》ぬ、というのはまったくの俗説《ぞくせつ》にすぎません」と断言《だんげん》している。

すると、怪人《かいじん》モグラングと地底人《ちていじん》の弱点《じゃくてん》はどうなる!?　特《とく》に地底人《ちていじん》は『ウルトラマン』の劇中《げきちゅう》、ハヤタ隊員《たいいん》が変身《へんしん》する際《さい》の光《ひかり》を浴《あ》びて全滅《ぜんめつ》していたが、これ、まったくのムダ死《じ》にだったの!?

『ウルトラマンタロウ』に登場《とうじょう》した改造《かいぞう》エレキングの弱点《じゃくてん》は、こう書《か》かれている。「月《つき》の光《ひかり》をエネルギーにしているので、夜中《よなか》、それも満月《まんげつ》の日《ひ》にしか行動《こうどう》できない」。満月《まんげつ》が巡《めぐ》ってくるのは

29日《にち》に1度《ど》。しかも、太陽《たいよう》の47万分《まんぶん》の1の明《あか》るさしかないため、エネルギーとしてはまことに微《び》弱《じゃく》だ。弱点《じゃくてん》を超《こ》えて、根本的《こんぽんてき》な欠陥《けっかん》ではなかろうか。

耐熱怪人《たいねつかいじん》ゴースターは「火山《かざん》のふんかを自由《じゆう》によびおこす。1000度《ど》のこうねつをなんともおもわない」。これは弱点《じゃくてん》というより、長所《ちょうしょ》として記《しる》されたものだろう。だが、マグマの温度《おんど》は800℃から1200℃。このヒト程度《ていど》の耐熱力《たいねつりょく》でマグマを扱《あつか》うと命《いのち》が危《あぶ》ない！

ブラックピジョンも問題《もんだい》だ。「胸《むね》にある長《なが》さ10mの角《つの》は、敵《てき》に刺《さ》さると二《に》度《ど》と抜《ぬ》けない」。すごそうな気《き》もするが、よく考《かん》えると困《こま》った角《つの》である。二《に》度《ど》と抜《ぬ》けなかったら、刺《さ》した敵《てき》の死体《したい》を一《いっ》生《しょう》眺《なが》めて暮《く》らさねばならん。

さらに、怪鳥人《かいちょうじん》ギルガラスは「空《そら》を飛《と》ぶスピードがライダーより劣《おと》る」。毛虫怪人《けむしかいじん》ドクガンダーも「そらをとぶはやさが仮面《かめん》ライダーよりおそい」。もちろん、皆《みな》さんご存知《ぞんじ》のとおり仮面《かめん》ライダーは空《そら》が飛《と》べない。それより遅《おそ》いとは、まったく飛《と》べないということじゃないの!?

『ウルトラマン80《エイティ》』のノイズラーは「超音速機《ちょうおんそくき》や新幹線《しんかんせん》などの騒音《そうおん》や音波《おんぱ》を好《この》んで吸収《きゅうしゅう》する宇《う》宙怪獣《ちゅうかいじゅう》」。しかし、そうした地上《ちじょう》の音波《おんぱ》は、彼《かれ》のいる宇宙《うちゅう》まで届《とど》かない。

『ウルトラセブン』のペガ星人《せいじん》は「地球《ちきゅう》の気圧《きあつ》に耐《た》えられない」。だったら、地球侵略《ちきゅうしんりゃく》なんか企《くわだ》てないでくれっ。

◆改造《かいぞう》に失敗《しっぱい》したネ！

『仮面《かめん》ライダー』の悪《あく》の組織《そしき》・ショッカーの怪人《かいじん》には、武器《ぶき》と一体《いったい》になった弱点《じゃくてん》が多《おお》い。

たとえばコブラ男《おとこ》は、右腕《みぎうで》がヘビになっており、これを自在《じざい》に伸縮《しんしゅく》させて仮面《かめん》ライダーと戦《たたか》っていた。ところが怪獣図鑑《かいじゅうずかん》に記《しる》してある弱点《じゃくてん》は「みぎ手《て》のヘビのあご」。な、なぜそんな大事《だいじ》なところが弱点《じゃくてん》なんだ!?

ギリザメスの場合《ばあい》は「鼻先《はなさき》はドリルのようにまわり、どんなにかたいからだでも穴《あな》をあけてしまう。弱点《じゃくてん》はノコギリのような鼻《はな》」。さんざん自慢《じまん》しておいて、実《じつ》は弱点《じゃくてん》かよ！

サイギャングの「頭《あたま》のつのをぬき、そこから催涙《さいるい》ガスを出《だ》す。ぬいたつのはするどい短刀《たんとう》のよう。弱点《じゃくてん》はつの」というのも同類《どうるい》だ。

さらに、アブゴメスは「口《くち》のはりはおそろしいぶきだが、はずれやすいのがけってん」。カナリコブラは「コブラハンドのつけね。ここがおれやすくなっている」。こうなるともう、ショッカーの改造手術《かいぞうしゅじゅつ》が失敗《しっぱい》しただけとしか思《おも》えない！

もっと悲《かな》しい連中《れんちゅう》もいる。吸血《きゅうけつ》こうもり男《おとこ》は「はねのつけねがもろい」。怪鳥人《かいちょうじん》プラノドンは「つばさのつけね」。モスキラスは「はねのつけね」。こいつら全員《ぜんいん》、羽《はね》をつけたばっかりに、かえって弱《よわ》くなってるじゃん！「手《て》ばさみのつけね」が弱点《じゃくてん》の怪人《かいじん》さそり男《おとこ》、「はさみのつけねがよわい」泡怪人《あわかいじん》カニバブラーも同《おな》じ。鳥《とり》やサソリやカニに改造《かいぞう》したこと自体《じたい》、間違《まちが》いだった？

惜《お》しいのは、人食《ひとく》いサラセニアンだ。「北《きた》アメリカ出身《しゅっしん》。10度以下《どいか》になると死《し》ぬ」。食虫植物《しょくちゅうしょくぶつ》サラセニアは、カリフォルニアおよびオレゴン原産《げんさん》。調《しら》べると、カリフォルニア州《しゅう》サンフランシスコの1月《がつ》の平均気温《へいきんきおん》は9・2℃だ。サラセニアは大丈夫《だいじょうぶ》だが、サラセニアンは死《し》んでしまう。

ギラーコオロギは「ライダーが1分以上受《ぷんいじょうう》けていたら、かくじつにしぬ殺人音波《さつじんおんぱ》をだす」。これもいい線行《せんい》ってるが、効果《こうか》が現《あらわ》れるのに1分《ぷん》もかかったら、仮面《かめん》ライダーは委細構《いさいかま》わず殴《なぐ》りかかってくるだろう。キミが勝《か》つためには、その猛攻《もうこう》に1分以上《ぷんいじょう》耐《た》えなければならない！

『スペクトルマン』の悪役《あくやく》・宇宙猿人《うちゅうえんじん》ゴリも同《おな》じ轍《てつ》を踏《ふ》んだ。彼《かれ》が作《つく》った怪獣《かいじゅう》ギラギンドは「両《りょう》目《め》をあまりにも大《おお》きくつくられたため、攻《せ》められると非常《ひじょう》に弱《よわ》い」。限度《げんど》を知《し》らんのか⁉

◆それは弱点《じゃくてん》なのか？

本人《ほんにん》たちは気《き》にしているようだが、実《じつ》はまったく困《こま》らない弱点《じゃくてん》というものもある。

たとえば『帰《かえ》ってきたウルトラマン』に登場《とうじょう》したオクスター。「長《なが》い間水中《あいだすいちゅう》で暮《く》らしていたために、地上《ちじょう》では10分間《ぷんかん》しか生《い》きられない」。まったく心配《しんぱい》ない。キミと戦《たたか》うウルトラマンは、地《ち》球上《きゅうじょう》では3分間《ぷんかん》しか生《い》きられないんだから。

『ウルトラマンレオ』のガロンは「長《なが》さ1mのロケット弾《だん》を連《れん》続発射《ぞくはっしゃ》して、どんな建物《たてもの》でも爆《ばく》破《は》してしまう。ところが、1時《じ》間《かん》のうちに時間《じかん》をおいて、10分《ぷん》間《かん》しか発射《はっしゃ》できないのが弱点《じゃくてん》だ」。この弱点《じゃくてん》は、相手《あいて》のウルトラマンレオにしてみれば脅威《きょうい》でしかない。レオの活動時間《かつどうじかん》は、ウルトラ一族《いちぞく》のなかでも短《みじか》い2分《ふん》40秒《びょう》。その間《かん》ずっと、ロケット弾《だん》を撃《う》ち込《こ》まれっぱなしだ。

ファイヤーモンスは「体温《たいおん》は常《つね》に2千《せん》℃。3千《ぜん》℃を超《こ》えると体《からだ》が爆発《ばくはつ》する」。普通《ふつう》に暮《く》らしている限《かぎ》り、体温《たいおん》が1千《せん》℃も上昇《じょうしょう》することはないだろう。まず心配《しんぱい》ない。

ムカデンダーも「火炎《かえん》が３００ｍまでしか届《とど》かないのが弱点《じゃくてん》だ」と奥《おく》ゆかしい。だが、彼《かれ》の身長《しんちょう》は59ｍ。３００ｍとはその５倍強《ばいきょう》で、人間《にんげん》が10ｍの火炎《かえん》を吐《は》くようなものだ。自慢《じまん》してもいいんじゃない？

また、セミ人間《にんげん》は「知能《ちのう》は高《たか》いが体力《たいりょく》がない。鋭《するど》いクチバシで岩石《がんせき》をバラバラにする」。充分《じゅうぶん》すぎるほどの体力《たいりょく》じゃないか。

ムカデタイガーに至《いた》っては「接近戦《せっきんせん》に弱《よわ》い。得意技《とくいわざ》はムカデパンチ」。大丈夫《だいじょうぶ》だ、自信《じしん》を持《も》て。その得意技《とくいわざ》を使《つか》えば、接近戦《せっきんせん》にも勝《か》てるって！

◆誰《だれ》だってそうなんだよ！

あたり前《まえ》のことを弱点《じゃくてん》と表明《ひょうめい》している怪獣《かいじゅう》や怪人《かいじん》もたくさんいる。

ザザーン、ゴーガ、ガボラ、フクロウ男《おとこ》、怪奇蜘蛛男《かいきくもおとこ》、毛虫怪人《けむしかいじん》ドクガンダー、毒蝶女《どくちょうおんな》ギリーラ、人喰怪人《ひとくいかいじん》イソギンチャック、怪奇《かいき》フクロウガン、彼《かれ》らはみんな「火《ひ》に弱《よわ》い」。だが、それは生物《せいぶつ》だったら当然《とうぜん》ではないだろうか。

ナメクジラー、シュガロン、ヒドラ、ベキラ、海蛇男《うみへびおとこ》、ネコヤモリ、毒草怪人《どくそうかいじん》トリカブト、火《か》炎怪人《えんかいじん》エジプタス、この人《ひと》たちは全員《ぜんいん》「後《うし》ろからの攻撃《こうげき》に弱《よわ》い」。これはすべての人《ひと》に共通《きょうつう》で、とくに弱点《じゃくてん》とはいえないと思《おも》う。

ガマボイラーと毒性怪人《どくせいかいじん》ハエ男《おとこ》は「目玉《めだま》を攻撃《こうげき》されると弱《よわ》い」。『スペクトルマン』のキュドラは「胸《むね》にクイを打《う》ちこまれると死《し》んでしまう」。『ウルトラマンレオ』のブラックドームは「腕《うで》をもぎ取《と》られると、戦力《せんりょく》が低下《ていか》する」。『ウルトラセブン』のギラドラスは「首《くび》を切《き》られるとバッタリ」。だから、誰《だれ》だってそうだってば！　なぜそれを弱点《じゃくてん》だと思《おも》う!?

これらと対照的《たいしょうてき》に、わけのわからない弱点《じゃくてん》を持《も》っているヒトビトもいる。

吸血怪人《きゅうけつかいじん》ザンブロンゾは「血《ち》がなくなると体《からだ》が小《ちい》さくなり、こうげき力《りょく》がにぶる」。『仮面《かめん》ライダー』の劇中《げきちゅう》でも、等身大《とうしんだい》から３㎝くらいまで一気《いっき》に小《ちい》さくなっていた。しかもまったく動《うご》けなくなり、戦闘員《せんとういん》に運《はこ》んでもらっていたほどだから、この弱点《じゃくてん》は筋金入《すじがねい》りといえる。それなのに、他《ほか》の怪人《かいじん》と同《おな》じように、戦闘員《せんとういん》が全員倒《ぜんいんたお》されてから仮面《かめん》ライダーに立《た》ち向《む》かうザンブロンゾ。キミは特殊体質《とくしゅたいしつ》なんだから、戦闘員《せんとういん》の最後《さいご》の１人《ひとり》は身《み》を挺《てい》してでも守《まも》るべきだった！

インパクト満点《まんてん》なのは『ウルトラマンA《エース》』に出《で》てきた伝説怪人《でんせつかいじん》ナマハゲだ。怪獣図鑑《かいじゅうずかん》には「日《に》本本来《ほんほんらい》の神《かみ》をあがめないで、異国《いこく》の神《かみ》をあがめている人間《にんげん》を憎《にく》み、みなごろしにしようとたくらんでいる。ヨーロッパやアメリカの思想《しそう》に染《そ》まった人間《にんげん》が大《だい》きらい」。愛国心旺盛《あいこくしんおうせい》な怪人《かいじん》である。

欧米《おうべい》かぶれの人間《にんげん》を懲《こ》らしめようと超獣《ちょうじゅう》も作《つく》った。その名《な》は「スノーギラン」。あんたの嫌《きら》いな英語《えいご》が入《はい》っているじゃないか！　その語学力《ごがくりょく》は、大弱点《だいじゃくてん》だっ。

ムササビードルは「ものすごいスピードで走《はし》り、しんくうスリップストームをおこし、まわりのものをすべてバラバラにする。だが、ヒゲをぬかれるととべなくなる」。意味《いみ》が全然《ぜんぜん》わからない！　ものすごいスピードで走《はし》るのが長所《ちょうしょ》なんだから、飛《と》べなくなっても問題《もんだい》ないのでは!?

◆キミにも僕《ぼく》にも弱点《じゃくてん》はあったほうがいい

弱点《じゃくてん》は普通《ふつう》だが、数《かず》を稼《かせ》いでいるのはミミズ男《おとこ》だ。「水分《すいぶん》がなくなると弱《よわ》い。陸上《りくじょう》での動《うご》きがにぶい。頭《あたま》の上《うえ》からの攻撃《こうげき》に弱《よわ》い」。たった1人《ひとり》で3つも！　ただでさえミミズという地味《じみ》な生《い》き物《もの》なのに、不憫《ふびん》だ。

エレキボタルは「電流《でんりゅう》がからだのそとにながれると、力《ちから》をうしなってしまう」。なんだそりゃ!?　体《からだ》の外《そと》に流《なが》さなければ、武器《ぶき》にはならんと思《おも》うが。

『人造人間《じんぞうにんげん》キカイダー』に登場《とうじょう》した敵《てき》ロボットのシルバーキャットは「部品《ぶひん》の破損《はそん》が多《おお》い」。わかっているなら、直《なお》してやれよ！

同《おな》じく『キカイダー』のブルーバッファローは「首《くび》の後《うし》ろ側《がわ》と、わきの下《した》を攻撃《こうげき》されると弱《よわ》い」。

えらく人間《にんげん》っぽい弱点《じゃくてん》だ、ロボットなのに。

『ウルトラマンタロウ』のどろぼう怪獣《かいじゅう》ドロボンは「宇宙《うちゅう》を代表《だいひょう》するどろぼうとして知《し》られている。ちょっと間抜《まぬ》けなところがある」。それはどろぼうに向《む》いていない！

そして極《きわ》めつけは『怪獣王子《かいじゅうおうじ》』のジアトリマ。「敵《てき》からの攻撃《こうげき》に対《たい》して非常《ひじょう》に弱《よわ》い」。キミはもういいから、家《いえ》でおとなしくしていなさいね。

――ここまでくると考《かんが》えたくなる。怪獣《かいじゅう》や怪人《かいじん》には、なぜこんなにハッキリとした弱点《じゃくてん》があるのだろう？

彼《かれ》らは本来《ほんらい》、とても恐《おそ》ろしい存在《そんざい》だ。劇中《げきちゅう》にはウルトラマンや仮面《かめん》ライダーがいてくれるからいいけれど、そうでなかったら恐怖《きょうふ》や憎《にく》しみの対象《たいしょう》にしかならないかもしれない。だが、われわれ人間《にんげん》と同《おな》じような弱点《じゃくてん》があるとわかれば、グッと身近《みぢか》な存在《そんざい》になってくるのだ。

筆者《ひっしゃ》も彼《かれ》らを見習《みなら》って、初対面《しょたいめん》の人《ひと》に挨拶《あいさつ》するときに「柳田理科雄《やなぎたりかお》です。空想科学研究所《くうそうかがくけんきゅうじょ》の主任研究員《しゅにんけんきゅういん》です。弱点《じゃくてん》はゲームができないことです」などと言《い》おうかと思《おも》います。

本書は『ジュニア空想科学読本④』（角川つばさ文庫／二〇一五年三月刊行）を加筆・修正してかき下ろしを加え、単行本化したものです。

また、本書では、計算結果を必要に応じて四捨五入して表示しています。したがって、読者の皆さんが、本文に示された数値と方法で計算しても、まったく同じ結果にはならない場合があります。間違いではありませんので、ご了承ください。

『ジュニ空《くう》』読者《どくしゃ》のための

これはすごいよ！

空《くう》想《そう》科《か》学《がく》作《さく》品《ひん》案《あん》内《ない》！

『ジュニア空想科学読本《くうそうかがくどくほん》』では、いろいろな作品《さくひん》を扱《あつか》っている。僕《ぼく》は、新《あたら》しいものも古《ふる》いものも、あまり気《き》にせずに登場《とうじょう》させている。

それは、僕《ぼく》が『ジュニ空《くう》』で紹介《しょうかい》している映画《えいが》やマンガやアニメは、時代《じだい》を超《こ》えて楽《たの》しめる作品《さくひん》ばかりだと思《おも》うから。少《すこ》し古臭《ふるくさ》く感《かん》じるかもしれないけど、いまでも充分《じゅうぶん》に楽《たの》しめるものが、とても多《おお》いのだ。

そこで『ジュニ空《くう》』の読者《どくしゃ》が見《み》たり読《よ》んだりする機《き》会《かい》の少《すく》なそうな古《ふる》い作品《さくひん》を中心《ちゅうしん》に、僕《ぼく》がオススメするコンテンツを紹介《しょうかい》しよう。

◆『マグマ大使《たいし》』（1966年《ねん》）

原作《げんさく》・手塚治虫《てづかおさむ》

※4巻《かん》に登場《とうじょう》

巨大《きょだい》ヒーロー番組《ばんぐみ》の第《だい》1号《ごう》『マグマ大使《たいし》』。原作《げんさく》は、手塚治虫《てづかおさむ》先生《せんせい》が「少年画報《しょうねんがほう》」に連載《れんさい》したマンガで、それを特撮番組《とくさつばんぐみ》にしたのは、うしおそうじという人《ひと》だ。

この人《ひと》はとてもユニークな活躍《かつやく》をしたクリエイターで、1950年代《ねんだい》にはマンガ家《か》として大活躍《だいかつやく》し、手塚治虫《てづかおさむ》先生《せんせい》と並《なら》ぶほどの人気者《にんきもの》になった。その後《ご》、テレビアニメの製作《せいさく》をしようと、映像制作会社《えいぞうせいさくがいしゃ》ピー・プロダクションを設立《せつりつ》。だが『ゴジラ』を作《つく》った円谷英二監督《つぶらやえいじかんとく》の勧《すす》めもあって、路線《ろせん》を変更《へんこう》。セル画《が》に絵《え》を描《えが》くアニメではなく、合成技術《ごうせいぎじゅつ》を駆使《くし》し

たリアルアニメ（特撮《とくさつ》）を手《て》がけることになった。そのテレビ番組《ばんぐみ》企画《きかく》第《だい》1弾《だん》として制作《せいさく》したのが、この『マグマ大使《たいし》』なのである。

印象深《いんしょうぶか》いのは、うしおさんが『マグマ大使《たいし》』の映像化《えいぞうか》を手塚先生《てづかせんせい》にお願《ねが》いしたときのエピソード。『手塚治虫《てづかおさむ》とボク』（うしおそうじ／草思社《そうししゃ》）によれば、64年《ねん》の暮《く》れ、箱根《はこね》で忘年会《ぼうねんかい》に出《で》ている手塚先生《てづかせんせい》のところに駆《か》けつけ、『マグマ大使《たいし》』のテレビ化《か》をお願《ねが》いしたという。アニメ化《か》の話《はなし》と思《おも》い込《こ》んだ手塚先生《てづかせんせい》は快諾《かいだく》したが、それが特撮《とくさつ》の企画《きかく》と知《し》るや、「実写《じっしゃ》なら許諾《きょだく》しません」とたちまち顔色《かおいろ》を変《か》えた。その数年前《すうねんまえ》、手塚先生《てづかせんせい》は『鉄腕《てつわん》アトム』の実写化《じっしゃか》を許諾《きょだく》して、質《しつ》の低《ひく》いものを作《つく》られた経験《けいけん》があったからだ。手塚先生《てづかせんせい》は「あれは大切《たいせつ》なアトムのイメージダウンもはなはだしく、テレビ化《か》を許可《きょか》したボクの大失態《だいしったい》です」と悔《く》いていた。

だが、うしおさんはねばり強《づよ》く説得《せっとく》し、まずはパイロット版《ばん》1本《ぽん》のみの制作《せいさく》を許諾《きょだく》してもらう。以降《いこう》の判断《はんだん》は、パイロット版《ばん》の完成度次第《かんせいどしだい》、というわけだ。

パイロット版《ばん》とはいえ、特撮番組《とくさつばんぐみ》を1本作《ぽんつく》るのには、莫大《ばくだい》な手間《てま》とお金《かね》がかかる。だが、うしおさんは手塚先生《てづかせんせい》も唸《うな》るような質《しつ》の高《たか》い『マグマ大使《たいし》』を作《つく》り上《あ》げ、あの『ウルトラマン』より半月早《はんつきはや》く、テレビ放送《ほうそう》をスタートさせたのであった。

◆『いなかっぺ大将《たいしょう》』（1968年《ねん》）

作《さく》・川崎《かわさき》のぼる

※5巻《かん》に登場《とうじょう》

1966年《ねん》に『巨人《きょじん》の星《ほし》』で大《だい》ヒットを飛《と》ばした川崎《かわさき》のぼる先生《せんせい》が、それと同《おな》じ頃《ころ》に小学館《しょうがくかん》の学年雑《がくねんざっ》誌《し》に連載《れんさい》したマンガが『いなかっぺ大将《たいしょう》』だ。70年《ねん》にはテレビアニメ化《か》され、これも大《だい》ヒットした。主《しゅ》題歌《だいか》を歌《うた》っていたのは、演歌歌手《えんかかしゅ》の天童《てんどう》よしみ。懐《なつ》かしのアニメ特番《とくばん》などで聞《き》いたこともあるだろう。

川崎《かわさき》のぼる先生《せんせい》といえば、代表作《だいひょうさく》は『巨人《きょじん》の星《ほし》』とされることが多《おお》いが、作者本人《さくしゃほんにん》がいちばん好《す》きな作品《さくひん》は、この『いなかっぺ大将《たいしょう》』なのだという。『巨人《きょじん》の星《ほし》』の主人公《しゅじんこう》・星飛雄馬《ほしひゅうま》が、何《なに》かと悩《なや》み多《おお》き日々《ひび》を過《す》ごしていたのに対《たい》し、『いなかっぺ大将《たいしょう》』

の風大左エ門《かぜだいざえもん》はモノスゴ～ク能天気《のうてんき》。柔道《じゅうどう》の道《みち》を究《きわ》めるために、田舎《いなか》から上京《じょうきょう》してきたのに、ノラ猫《ねこ》（ニャンコ先生《せんせい》）を柔道《じゅうどう》の師《し》と仰《あお》いで必殺技《ひっさつわざ》を習得《しゅうとく》したり、田舎《いなか》の花《はな》ちゃんと東京《とうきょう》のキクちゃんを同時《どうじ》に好《す》きになったりするなど、自由闊達《じゆうかったつ》とはこのヒトのためにあるような言葉《ことば》だ。あまりにテイストの違《ちが》う作品《さくひん》なので、連載当時《れんさいとうじ》、同《おな》じ作者《さくしゃ》が描《か》いているとは思《おも》わなかった人《ひと》も多《おお》かったという。

この川崎《かわさき》のぼる先生《せんせい》について、どうしても紹介《しょうかい》しておきたいエピソードがある。川崎先生《かわさきせんせい》は若《わか》い頃《ころ》、少年《しょうねん》ブックという雑誌《ざっし》の編集者《へんしゅうしゃ》に徹底的《てっていてき》にしごかれた。それで着実《ちゃくじつ》に実力《じつりょく》をつけていくうちに、別《べつ》の出版社《しゅっぱんしゃ》の人《ひと》から熱心《ねっしん》に説得《せっとく》されて描《か》き始《はじ》めたのが『巨人《きょじん》の星《ほし》』だった。作品《さくひん》は、週刊《しゅうかん》少年《しょうねん》マガジンに連載《れんさい》され、アニメ化《か》され、社会現象《しゃかいげんしょう》ともいえるほどの大《だい》ヒットになった。

5年《ねん》にわたる連載《れんさい》が終《お》わったとき、少年《しょうねん》マガジン編集部《へんしゅうぶ》は当然《とうぜん》、川崎先生《かわさきせんせい》に次回作《じかいさく》を依頼《いらい》したけれど、川崎先生《かわさきせんせい》が連載《れんさい》の舞台《ぶたい》に選《えら》んだのは、かつて自分《じぶん》を鍛《きた》えてくれた編集者《へんしゅうしゃ》が新《あたら》しく出《だ》し始《はじ》めた雑誌《ざっし》・週刊少年《しゅうかんしょうねん》ジャンプだった。当時《とうじ》は少年《しょうねん》マガジンのほうが広《ひろ》く読《よ》まれていたが、川崎先《かわさきせん》生《せい》は恩人《おんじん》に報《むく》いる道《みち》を選《えら》び、成長途上《せいちょうとじょう》の雑誌《ざっし》を選《えら》んだのだ。そこで連載《れんさい》された『荒野《こうや》の少年《しょうねん》イサム』は、当時《とうじ》の少年《しょうねん》ジャンプを牽引《けんいん》し、現在《げんざい》にまでつながるジャンプ黄金時代《おうごんじだい》の礎《いしずえ》を築《きず》くことになった。

◆『人造人間《じんぞうにんげん》キカイダー』（1972年《ねん》）

原作《げんさく》・石ノ森章太郎《いしのもりしょうたろう》

※5巻《かん》に登場《とうじょう》

1970年代《ねんだい》に『仮面《かめん》ライダー』で変身《へんしん》ブームに火《ひ》をつけた石ノ森章太郎《いしのもりしょうたろう》先生《せんせい》は、次々《つぎつぎ》とヒーローを生《う》み出《だ》していった。いまも継続中《けいぞくちゅう》のスーパー戦隊《せんたい》シリーズの原点《げんてん》『秘密戦隊《ひみつせんたい》ゴレンジャー』も、原作《げんさく》は石ノ森《いしのもり》先生《せんせい》だ。

もう一《ひと》つ、ぜひ記憶《きおく》に残《のこ》したい石ノ森《いしのもり》先生《せんせい》の傑作《けっさく》が『人造人間《じんぞうにんげん》キカイダー』だ。テレビ番組用《ばんぐみよう》に作《つく》られた企画《きかく》だが、同時《どうじ》にマンガ雑誌《ざっし》でも連載《れんさい》された。

悪《あく》の秘密結社《ひみつけっしゃ》ダークが、ロボットを使《つか》って世界征《せかいせい》服《ふく》を企《くわだ》てる。彼《かれ》らに拉致《らち》された光明寺《こうみょうじ》博士《はかせ》は、密《ひそ》かに人造人間《じんぞうにんげん》キカイダーを開発《かいはつ》し、内部《ないぶ》に「良心回《りょうしんかい》

路《ろ》」を埋《う》め込《こ》もうとしていた。ダークの命令《めいれい》に従《したが》わないロボットを作《つく》ろうとしたのだ。ところが良心回路《りょうしんかいろ》が完成《かんせい》する直前《ちょくぜん》、その計画《けいかく》はダークに知《し》られ、光明寺博士《こうみょうじはかせ》は記憶《きおく》を失《うしな》い、行方不明《ゆくえふめい》になってしまう。かくてキカイダーは未完成《みかんせい》の良心回路《りょうしんかいろ》を搭載《とうさい》したまま、悪《あく》のロボットと戦《たたか》うことに。ダークの首領《しゅりょう》が悪魔《あくま》の笛《ふえ》を吹《ふ》くと、その命令《めいれい》に従《したが》いそうになり、悪《あく》に逆《さか》らおうとする正義《せいぎ》の心《こころ》とのあいだで苦《くる》しみもがくのだ。

印象深《いんしょうぶか》いのは、主人公《しゅじんこう》・キカイダーのデザインだ。体《からだ》の半分《はんぶん》が赤《あか》で、半分《はんぶん》が青《あお》。まるで赤《あか》と青《あお》が半分《はんぶん》ずつの色鉛筆《いろえんぴつ》だが、これは原作《げんさく》の石ノ森先生《いしのもりせんせい》が作品《さくひん》のテーマを投影《とうえい》させたものだった。

石ノ森先生《いしのもりせんせい》は、この作品《さくひん》を『ピノキオ』から発想《はっそう》されたという。つまり、人間《にんげん》になりたいロボット。そして「このロボットに良心回路《りょうしんかいろ》をつけたのは、ロボットを通《とお》して人間《にんげん》を描《えが》きたかったからです。人間《にんげん》の心《こころ》には良心《りょうしん》もあれば、みにくい欲望《よくぼう》もあって、人間《にんげん》そのものが引《ひ》き裂《さ》かれていますよね。キカイダーは人間《にんげん》になりたいけど、人間《にんげん》になるということは、悪《わる》い心《こころ》もあわせ持《も》つことかもしれない。はたして、それは幸《しあわ》せなことなのかどうか……」と言《い》われていた。

とても深《ふか》い話《はなし》だ。そして、テレビ番組《ばんぐみ》が楽《たの》しいエピソードを盛《も》り込《こ》んで人気作《にんきさく》となったのと対《たい》照的《しょうてき》に、マンガ版《ばん》では人間《にんげん》の心《こころ》を持《も》ったキカイダーがいずこへともなく去《さ》っていく……という悲《かな》しいエンディングを迎《むか》える。機会《きかい》があったら、ぜひ読《よ》んでもらいたい作品《さくひん》だ。

読本シリーズ

柳田理科雄・著
藤嶋マル、きっか・絵

タケコプターが本当にあったら空を飛べるの？

塔から地面まで届くラプンツェルの髪は**どれだけ長い**!?

かめはめ波を撃つにはどうすればいい？

——その疑問、スパッと解き明かします!!

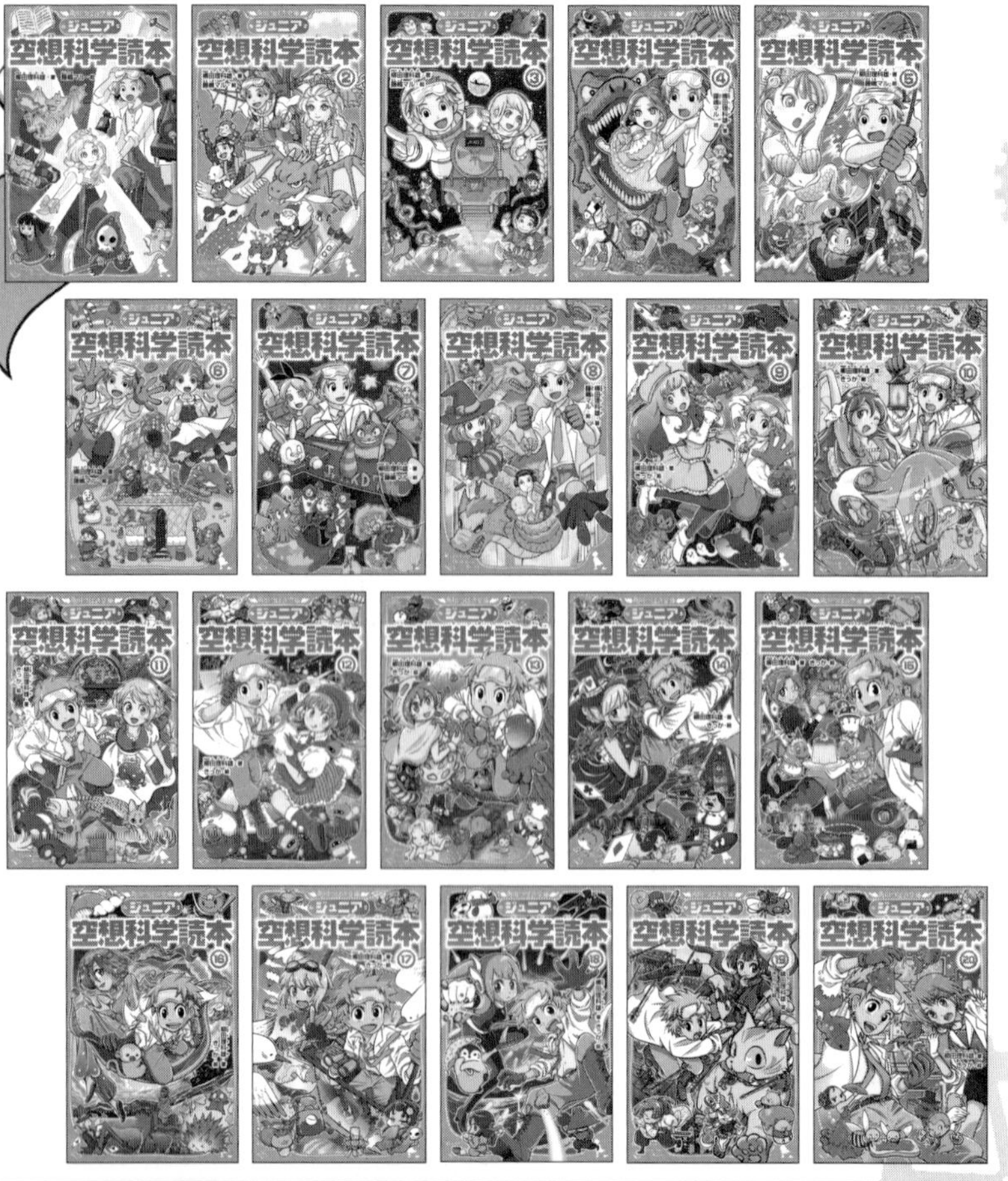

大人気！
ジュニア空想科学
マンガやアニメを
科学的に検証する
「日本一笑える
理科の本」！
角川つばさ文庫で
好評発売中！

柳田理科雄《やなぎたりかお》／著

1961年鹿児島県種子島生まれ。東京大学中退。学習塾の講師を経て、96年『空想科学読本』を上梓。99年、空想科学研究所を設立し、マンガやアニメや特撮などの世界を科学的に研究する試みを続けている。明治大学理工学部非常勤講師も務める。

藤嶋《ふじしま》マル／絵

1983年秋田県生まれ。イラストレーター、マンガ家として活躍中。

永地《えいち》／絵

(『ジュニ空』読者のための「ぜひ読んでみて！　空想科学のおススメ本！」)
イラストレーター、マンガ家として活躍中。作画を担当したマンガ作品に『Yの箱舟』などがある。

愛蔵版《あいぞうばん》

ジュニア空《くう》想《そう》科《か》学《がく》読《どく》本《ほん》④

著《ちょ》　柳田理科雄《やなぎたりかお》
絵《え》　藤嶋《ふじしま》マル

2017年11月　初版1刷発行
2021年 7 月　初版3刷発行

発行者　小安宏幸
発　行　株式会社汐文社
〒102-0071　東京都千代田区富士見 1-6-1
富士見ビル1F
TEL03-6862-5200 FAX03-6862-5202
印　刷　大日本印刷株式会社
製　本　大日本印刷株式会社
装　丁　ムシカゴグラフィクス

ISBN978-4-8113-2407-4　C8340　　N.D.C.400